La fiancée réticente

Editions J'ai Lu

BARBARA CARTLAND | ŒUVRES

LES BELLES AMAZONES	J'ai Lu 727**
LA NAÏVE AVENTURIÈRE	J'ai Lu 751**
CONTREBANDIER DE L'AMOUR	J'ai Lu 783**
LA VALSE DES CŒURS	J'ai Lu 828**
LA FÉE DE LA GLACE	J'ai Lu 845***
LE FANTÔME DE MONTE-CARLO	J'ai Lu 854***
L'AMOUR VIENT QUAND IL VEUT	J'ai Lu 868**
L'IRRÉSISTIBLE AMANT	J'ai Lu 758**
UNE TROP JOLIE GOUVERNANTE	J'ai Lu 804**
LA RÉVOLTE DE LADY CORINNA	J'ai Lu 964***
LE PRINTEMPS D'AURELIA	J'ai Lu 878***
LE RETOUR DE LA BELLE INCONNUE	J'ai Lu 883***
L'AMOUR AU BOUT DU CHEMIN	J'ai Lu 965***
LA BELLE ET LE CAVALIER	J'ai Lu 985***
LE MASQUE DE L'AMOUR	J'ai Lu 973**
LA SORCIÈRE AUX YEUX BLEUS	
LA FIANCÉE RÉTICENTE	J'ai Lu 983***
CLÉONA ET SON DOUBLE	J'ai Lu 908**
L'IMPÉTUEUSE DUCHESSE	
LE CORSAIRE DE LA REINE	
ESCAPADE EN BAVIÈRE	J'ai Lu 931**
LA SPLENDEUR DE VENTURA	
LES HASARDS DE L'AMOUR	
LES AMOURS MEXICAINES	
LES ROSES DE LAHORE	
PAR AMOUR OU PAR PITIÉ	
C'EST LUI LE DÉSIR DE MON CŒUR	J'ai Lu 953***
L'AIR DE COPENHAGUE	
LE BAISER DU DIABLE	
LES SEIGNEURS DE LA CÔTE	J'ai Lu 920**
LES FEUX DE L'AMOUR	J'ai Lu 944**
AMOUR SECRET	J'ai Lu 898**
LE CŒUR CAPTIF	
LE CAVALIER MASQUÉ	
PRINTEMPS A ROME	
POUR L'AMOUR DE LUCINDA	
SÉRÉNA (OU LE HASARD DES CŒURS)	
LA FILLE DE SÉRÉNA	
LE VALET DE CŒUR	
SOUS LE CHARME GITAN	
SAMANTHA DES ANNÉES FOLLES	
LE SECRET DE SYLVINA	
QUAND L'AMOUR TRIOMPHE	
UN HOMME POUR DEUX CŒURS	
LE MESSAGE DE L'ORCHIDÉE	
AU PÉRIL DE L'AMOUR	
L'AMOUR FOU DE ZIVANA	
UN FAUX MARIAGE	
LA FLAMME D'AMOUR	
LE TERRIBLE SECRET DE GISELDA	
MESSAGÈRE DE L'AMOUR	
DES FLEURS POUR MON AMOUR	
COMTESSE NATACHA	
SERAS-TU LADY, GARDENIA?	
LES BEAUX MESSIEURS DE PETRINA	
LA PREMIÈRE ÉTREINTE	

BARBARA CARTLAND

La fiancée réticente

Traduit de l'anglais par
Arlette ROSENBLUM

Ce roman a paru sous le titre original :

THE ELUSIVE EARL

NOTE DE L'AUTEUR

Les détails concernant les pur-sang anglais sont authentiques et font partie de l'histoire des courses. *Bahram* est le dernier cheval à avoir gagné la *Triple Couronne* anglaise (le Prix des Deux Mille Guinées, le Derby et le St. Leger) en 1935. On a calculé que son pedigree englobait entre autres 29,232 croisements de *Godolphin Arabian,* 44,079 de *Darley Arabian* et 64,032 de *Byerley Turk.* Aucun de ces trois chevaux n'a jamais participé à une course.

Il n'y a eu que trois Dictateurs du Turf : à lord George Bentinck, le second, devait succéder l'amiral John Henry Rous, le plus célèbre, qui fut une autorité indiscutée en matière de handicap.

L'histoire de Scham et d'Agba a été finalement traduite du français en 1867 par le colonel F. W. Alexander. Le chat apparaît dans les portraits de Scham peints, par Stubbs, Sartorius et Wootten.

Charles Green a été un des grands pionniers de la navigation aérienne en aérostat. Il effectua sa première ascension dans un ballon gonflé au gaz d'éclairage à partir du Green Park de Londres pendant les fêtes du couronnement de George IV[1]. En 1835, il avait à son actif deux cents ascensions et il introduisit l'usage du guiderope[2].

En 1840 il prépara la traversée de l'Atlantique en ballon, mais dut abandonner son projet parce qu'il avait été blessé au cours d'un atterrissage difficile dans le comté d'Essex. Il en était à sa cinq centième ascension quand il prit sa retraite et mourut en 1870.

(1) George IV (1762-1830) prince régent quand son père devint fou en 1810, roi en 1820.
(2) Guiderope : cordage assez lourd qu'on laisse pendre d'un aérostat et traîner sur le sol au moment de l'atterrissage pour diminuer sa vitesse et faciliter sa descente.

© Barbara Cartland, 1976

Pour la traduction française :
Ed. de Trévise, 1978

1

Les chevaux attaquèrent la ligne droite dans un bruit de tonnerre et un « ah! » monta de la foule des spectateurs sur l'hippodrome de Newmarket quand ils constatèrent que le favori portant les couleurs de l'écurie de lord Arkrie, le bleu et le rouge, était en tête.

Deux cents mètres plus loin, les gentilshommes qui observaient la course depuis le Jockey Club virent dans leurs jumelles un cheval remonter à l'extérieur.

Il progressait avec une aisance et une assurance qui semblaient manquer aux autres concurrents, à présent groupés en peloton contre la corde.

Il gagnait sans cesse du terrain si bien qu'à la fin la foule s'en aperçut et cria son enthousiasme.

Pendant un instant les deux chevaux de tête restèrent à la même hauteur, puis l'outsider, à la casaque orange barrée de deux bandes noires croisées — couleurs bien connues dans le monde des courses — précéda d'une longueur son rival au poteau d'arrivée.

Impossible de se tromper aux acclamations qui résonnèrent et lord Arkrie quitta le devant de la tribune en s'exclamant avec humeur :

— Sacrebleu! Helstone, vous avez fait un pacte

avec le diable en personne, ma parole! Je menais la course!

Sans répondre, le comte de Helstone se détourna sans hâte pour quitter la tribune et se rendre au pesage. En chemin, il reçut les félicitations de ses amis, les unes sincères, les autres envieuses et quelques-unes caustiques.

— Il vous faut donc tous les prix, Helstone? questionna avec acrimonie un pair du royaume aux cheveux gris.

— Rien que les meilleurs, répliqua le comte de Helstone qui continua sa route, laissant le pair bafouiller en quête d'une riposte introuvable.

Il arriva aux balances à l'instant où son cheval, Delos, était introduit dans l'enceinte au milieu des applaudissements et des acclamations de la foule disparate qui fréquentait toujours l'hippodrome de Newmarket Heath.

Son jockey, un jeune homme maigre à l'air maladif, que l'on voyait rarement sourire, sauta à bas de sa selle.

— Bien joué, Marson! lui dit-il. Vous avez choisi votre moment à la perfection.

— Merci, m'lord. J'ai fait exactement ce que Votre Seigneurie m'avait recommandé.

— Avec d'excellents résultats, conclut lord Helstone laconiquement.

Il caressa le cheval et sortit de l'enceinte sans attendre le résultat du pesage.

Comme il retournait vers le Jockey Club, lord Yaxley le rejoignit.

— Tu empoches une jolie somme, Osric, commenta-t-il. Non pas que tu en aies besoin.

— As-tu misé sur lui?

Son ami hésita un instant avant de répondre :

— A franchement parler, j'ai quelque peu panaché mes paris. Arkrie était tellement sûr que son cheval arriverait premier.

— Il s'en vantait depuis des semaines.

— Alors tu as décidé de lui donner une leçon? dit lord Yaxley en souriant. Eh bien, tu as réussi. Je crois qu'il avait misé trois mille guinées sur la course. Il se montrera un ennemi implacable à présent.

— Ce ne sera pas nouveau.

Ils étaient revenus à la tribune du Jockey. Ils se dirigèrent vers le bar installé au fond.

— Puis-je t'offrir quelque chose à boire? questionna le comte de Helstone.

— Ma foi, c'est bien le moins. Que diable, l'argent va toujours à l'argent! Mon vieux père le disait toujours.

— Tu devrais te fier à tes amis, répliqua froidement lord Helstone. Je t'avais prévenu que Delos était un bon cheval.

— Malheureusement, tu ne t'es pas montré assez affirmatif, se plaignit lord Yaxley. Arkrie proclamait les mérites de sa bête à qui voulait l'entendre.

Sans répondre, lord Helstone prit la coupe de champagne qui lui était servie.

Lord Yaxley leva son verre.

— A ta santé, Osric! Et que le succès couronne comme toujours tout ce que tu entreprends.

— Tu me flattes, commenta sèchement lord Helstone.

— Pas du tout! C'est odieux, exaspérant mais inévitable, tu franchis toujours premier la ligne d'arrivée, et pas seulement sur le champ de courses!

Il jeta à son ami un coup d'œil en coin tout en parlant puis il ajouta sur un ton légèrement irrité :

— Sapristi, Osric, tu pourrais avoir l'air un peu plus content! En somme, tu viens de gagner une des courses les plus importantes de la saison et tu as démontré encore une fois que tes pur-sang sont supérieurs à tous les autres. Tu devrais bondir de joie!

— Je suis trop vieux pour tant d'exubérance juvénile. D'ailleurs, même s'il est satisfaisant à l'extrême de prouver que mes chevaux sont supérieurs, avec un entraîneur et un jockey prêts à faire ce que je leur demande, je ne vois aucune raison de me livrer à des transports de joie démesurée.

Lord Yaxley posa son verre avec brusquerie.

— Tu m'exaspères, Osric. Il y a des fois où je regrette l'homme que tu étais dans ta jeunesse, quand nous débordions de malice et d'irrévérence et que tout semblait aventure, divertissement. Que s'est-il passé?

— Comme je viens de te le dire, nous avons vieilli.

— Je ne crois pas que ce soit une question d'âge. Bien plutôt de satiété. Tu es gavé des bonnes choses de la vie, comme dans ces dîners qui étaient offerts à Carlton House du temps de mon père! (Il but à nouveau du champagne puis ajouta :) Je ne sais combien de fois il m'a raconté qu'il y avait trente-cinq entrées et que Régent (1) mangeait tellement qu'il avait du mal à se lever à la fin du repas.

— J'ai bien des défauts, c'est possible, mais je ne m'empiffre pas.

— Non, mais en revanche tu te passes toutes tes fantaisies dans d'autres domaines, dit avec perspicacité lord Yaxley.

Quelqu'un s'approcha à cet instant pour féliciter lord Helstone de sa victoire et la conversation fut interrompue.

(1) Le Régent : le futur George IV.

Lord Yaxley revint cependant à la charge plus tard au cours de la soirée, dans l'élégante demeure de son hôte aux abords de la ville.

— Tu sais, je suppose que tu as offensé bon nombre de tes amis, Osric, en quittant si tôt le dîner offert en ton honneur?

— Je doute qu'un seul ait remarqué notre départ. Ils étaient tous trop ivres pour s'en rendre compte.

— Et toi, naturellement, tu es d'une extrême sobriété! commenta lord Yaxley.

Il se jeta dans un confortable fauteuil de cuir devant le feu de bois qui brûlait avec entrain.

— S'il y a une chose que je déteste, déclara lord Helstone, c'est bien de boire à rouler sous la table et, par conséquent, d'être incapable d'assister aux galops d'entraînement du matin.

— Voyez donc le bon apôtre!

— Je croyais t'avoir entendu te plaindre que je me passais trop souvent mes fantaisies, dit le comte de Helstone avec un pli sarcastique aux lèvres.

— Pas en ce qui concerne la nourriture et la boisson, mais pour d'autres choses.

— Bon, s'il ne s'agit pas du vin, ce doit être « les femmes et les chansons! ». Toutefois j'avoue ne pas comprendre pourquoi tu te charges de me sermonner.

— Parce que j'ai de l'affection pour toi et parce que nous sommes de très vieux amis. J'ai horreur de te voir devenir d'année en année plus blasé et indifférent.

— Qui a dit que j'étais blasé? questionna le comte de Helstone d'un ton sec.

— C'est évident. Je t'observais à l'hippodrome aujourd'hui. Il n'y a même pas eu un éclair de satisfaction dans tes yeux quand Delos a battu le cheval d'Arkrie. C'est anormal, Osric, tu le sais bien.

Lord Helstone se renfonça dans son fauteuil profond sans mot dire, le regard fixé sur les flammes.

— Qu'est-ce qu'il y a? questionna lord Yaxley d'une voix différente. C'est Genevieve?

— Peut-être?

— As-tu l'intention de l'épouser?

— Pourquoi le ferais-je?

— Au contraire d'Arkrie, elle proclame son amour pour toi à tous les échos.

— Je ne peux pas l'empêcher de se rendre ridicule, mais je t'assure qu'elle n'a reçu aucun encouragement de ma part.

— Elle ferait une élégante maîtresse de maison et serait sûrement ravissante parée des diamants des Helstone.

Lord Helstone resta silencieux un moment, puis dit d'une voix lente :

— Je n'ai aucun désir d'épouser Genevieve.

Lord Yaxley poussa un petit soupir.

— Franchement, Osric, j'en suis heureux. Je ne savais pas si ton cœur était engagé ou non dans l'aventure, mais Genevieve finirait sûrement par te lasser, comme toutes les autres charmeuses que tu as laissé choir l'une après l'autre. (Il rit et ajouta :) As-tu remarqué qu'elle s'assied toujours de façon à être de profil par rapport à toi? Elle m'a raconté un jour que quelqu'un — je ne me rappelle plus qui — lui avait dit que si Frances Stewart n'avait pas été le modèle de Britannia, c'est elle qu'on aurait choisie.

— Frances Stewart, si mes souvenirs d'histoire sont exacts, répliqua son ami d'un ton caustique, a refusé ses faveurs à Charles II, raison pour laquelle il est resté fou d'elle jusqu'au jour où elle a été défigurée par la variole.

Lord Yaxley se remit à rire.

— Personne ne peut accuser Genevieve de te refuser quoi que ce soit.

Il ne répondit pas et au bout d'un instant lord Yaxley continua :

— D'ailleurs personne ne te refuse jamais rien, n'est-ce pas, Osric? Je commence à croire que tout vient de là.

— Tout quoi?

— La cause de ton ennui. Maintenant que j'y pense, à la longue cela doit devenir lassant de savoir que tu tireras toujours la carte gagnante, que tu abattras l'oiseau que tu vises, que tu seras toujours présent à la curée.

— Encore de la flatterie!

— N'empêche que c'est exact et que tu le sais. Le fond de la chose, c'est que tu t'ennuies, Osric.

— Quel remède me proposes-tu?

— J'aimerais connaître la réponse à cette question. Il doit y avoir quelque part un prix que tu convoites, une montagne que tu n'as pas escaladée, une bataille que tu n'as pas gagnée.

— Peut-être une guerre serait-elle la solution! On a du moins à se colleter avec la nécessité fondamentale de préserver sa vie.

— Tu sais, je me demande si le mieux pour toi ne serait pas de te marier, dit lord Yaxley comme s'il poursuivait ses propres réflexions. Cela t'inciterait à passer plus de temps à la campagne, car je me rends compte que cet énorme château que tu as, avec ses murs recouverts de portraits de tes ancêtres, serait excessivement lugubre pour qui devrait y vivre seul.

— Tu crois que le mariage résoudrait la question?

— Pas avec Genevieve — elle ne s'enterrera jamais nulle part! s'exclama lord Yaxley. Mais il doit y avoir une femme qui pourrait te plaire sans t'ennuyer à mourir.

— Il y en a beaucoup.

— Je ne parle pas d'une liaison, espèce d'idiot! s'exclama lord Yaxley. Je pense à un mariage avec une gentille jeune femme respectable qui te donnera des enfants, un fils surtout. C'est quelque chose que tu n'as pas encore expérimenté, en tout cas.

— Mais pour avoir un fils, il me faudrait subir la conversation banale, les propos stupides et décousus de la respectable jeune personne. Je t'assure, Willoughby, que Genevieve serait préférable!

— Je suis obligé de le reconnaître. J'ai jeté un coup d'œil sur les débutantes de cette saison à un bal la semaine dernière. Je devais y assister parce qu'il était offert pour une de mes nièces. Je n'ai jamais vu spectacle plus déprimant.

— Voilà la réponse à ta suggestion.

— Une débutante serait trop jeune pour toi, je te l'accorde. Nous aurons tous les deux trente ans l'année prochaine et cela dépasse de beaucoup l'âge des jeux de nursery.

— Quel autre choix reste-t-il?

— Il y a sûrement quelque part une veuve intelligente, charmante et sophistiquée.

— Nous en revenons donc à Genevieve!

Le silence s'établit pendant qu'ils songeaient l'un et l'autre à la séduisante lady Genevieve Rodney, débordante de vitalité et parfois d'audace.

Elle était devenue veuve deux ans plus tôt et dès qu'elle avait quitté le deuil elle avait fait frémir la bonne société par ses défis aux conventions.

Mais les hommes la trouvaient irrésistible et sa petite demeure de Mayfair était assiégée jour et nuit par ses innombrables admirateurs.

Rien de surprenant qu'elle se soit mis en tête de conquérir le comte de Helstone.

Non seulement était-il un des hommes les plus riches d'Angleterre mais aussi, aux yeux de bien des femmes, les surclassait-il tous sur le plan de la beauté physique.

C'était cependant avec raison qu'il avait été surnommé « l'Insaisissable ».

Depuis qu'il avait terminé ses études, il était poursuivi par des mères ambitieuses et par des femmes qui trouvaient irrésistibles son beau visage et sa fortune, mais il avait esquivé toutes les tentatives pour l'attirer dans des filets matrimoniaux et se montrait difficile à l'extrême dans le choix de ceux à qui il donnait son affection.

Toutefois il avait trouvé amusant de supplanter les dandies et les petits-maîtres de la haute société qui courtisaient cette « belle » de St. James.

Elle ne lui avait pas laissé croire qu'il était le premier à capturer son cœur. Et il n'était d'ailleurs pas non plus le premier amant qu'elle prenait depuis la mort de son mari.

Depuis quelques mois que durait leur liaison, en revanche, elle avait fait nettement entendre qu'elle voulait qu'il soit le dernier.

Lady Genevieve avait le cœur inconstant et le comte de Helstone ne savait pas jusqu'à quel point ses protestations d'amour n'étaient pas liées au fait qu'il était en mesure de pourvoir à son entretien aussi généreusement qu'elle le désirait et de lui assurer dans la société une situation que seule occupait la famille royale.

D'ailleurs les Helstone avaient du sang royal dans les veines et c'était bien connu que leur arbre généalogique avec tous ses quartiers de noblesse était un casse-tête pour le Collège héraldique.

A part cela, le comte avait acquis par ses propres mérites une position importante à la Chambre des

Lords. Il était donc quelqu'un avec qui il fallait compter et dont on recherchait les avis.

Et personne ne pouvait nier sa prééminence dans le monde du sport.

Il s'était spécialisé dans l'élevage des pur-sang et avait importé des étalons arabes, comme les premiers éleveurs, afin d'améliorer la race.

Toutefois Delos, le cheval qui avait gagné la course à Newmarket, était un descendant direct du célèbre Eclipse qui avait procréé tant de chevaux de course fameux et dont on relatait encore les victoires avec émotion dans les milieux hippiques.

Eclipse devait son nom à la grande éclipse qui s'était produite en 1764, l'année de sa naissance. Il appartenait à William, duc de Cumberland, lequel malheureusement mourut l'année suivante.

A la liquidation de sa succession, le cheval fut acheté par Mr William Wildeman, un chevillard de Smithfield, pour soixante-quinze guinées.

Eclipse se produisit pour la première fois sur un hippodrome en 1769 à Epsom pour la Coupe des Nobles et Amateurs. Sa performance stupéfiante fit comprendre à tous les connaisseurs qu'ils se trouvaient en présence d'un phénomène dont le nom resterait à jamais dans l'histoire des courses.

Etant enfant, le comte de Helstone avait entendu son père parler d'Eclipse et de sa victoire annoncée par la phrase fameuse : « Eclipse premier, les autres dans les choux. »

Il avait l'intuition que Delos, ou un autre des chevaux de son écurie, se révélerait un jour le champion qu'il espérait.

Ce dont on n'a la certitude que lorsque la bête a couru un certain nombre de grandes courses de plat.

« Peut-être que posséder Eclipse ou un cheval

équivalent est l'ambition la plus satisfaisante qu'on puisse nourrir dans la vie », pensa-t-il.

Il leva les yeux vers un tableau accroché au-dessus de la cheminée. C'était un portrait d'Eclipse peint par George Stubbs.

La couleur alezan foncé du cheval était mise en valeur par une étoile blanche sur son front et une balzane à la jambe arrière droite. C'était une bête de grande taille selon les critères de son époque.

Il avait une avant-main courte et puissante et de longues épaules profilées.

Ces qualités lui avaient donné sa formidable foulée qui, combinée à un tempérament ardent et agressif, lui permit de conquérir à jamais une place dans les annales des courses.

Lord Yaxley avait suivi le regard de son ami.

— Je t'accorde que Delos a terminé la course de façon spectaculaire aujourd'hui. Crois-tu qu'il pourra gagner le Derby?

— Je n'ai pas encore décidé si je l'y engagerai.

— On insistera pour que tu le fasses.

— Je te garantis que je n'écouterai que mon propre jugement en la matière. Personne encore n'a réussi à me faire faire ce dont je n'avais pas envie.

De sa place à l'autre bout de la cheminée, son ami le dévisagea en songeant que c'était vrai.

Il connaissait mieux que personne la détermination et l'inflexibilité du comte de Helstone une fois qu'il avait pris un parti.

Lord Yaxley avait une très grande affection pour lui. Ils étaient amis depuis leur plus tendre enfance.

Ils avaient fréquenté la même école, servi dans le même régiment et, chose curieuse, ils avaient hérité leur titre la même année.

Le comte de Helstone était infiniment plus riche et plus élevé dans l'échelle sociale que lord Yaxley, mais ce dernier avait une jolie fortune et bien peu nombreuses étaient les grandes familles anglaises qui n'auraient pas été heureuses de l'avoir pour gendre.

— Gagner le Derby, ce que je ne vois aucun autre cheval capable de réussir, serait une satisfaction, déclara-t-il.

— Je suis d'accord avec toi, mais si je n'engage pas Delos, il me reste toujours Zeus ou Périclès.

— Voilà le hic, tu as trop de tout! s'exclama en riant lord Yaxley.

— Encore une critique, Willoughby?

Lord Helstone se leva et se mit à faire les cent pas dans la pièce confortablement meublée.

— Et, après le Derby, je suppose que j'essaierai d'avoir la Coupe d'Or d'Ascot et après Ascot le St. Leger?

— Pourquoi pas?

— Le même vieux rituel. Tu as raison, Willoughby, je commence à trouver tout cela mortellement ennuyeux. Je pense que je vais aller à l'étranger.

— A l'étranger? répéta lors Yaxley en se redressant sur son siège. Pourquoi diable? Pas pendant la saison, tout de même?

— Je crois que c'est la saison que je trouve si assommante. Ces bals et ces réceptions qui se succèdent sans arrêt. Les invitations qui affluent. Les bavardages, les potins et les médisances! J'ai déjà subi ça tant de fois. Mon Dieu, quelle barbe!

— Tu es trop gâté, Osric, voilà ce que tu as! Voyons, il n'y a pas un homme dans le pays qui ne donnerait son bras droit pour être à ta place.

— J'aimerais bien connaître quelque chose pour quoi je serais prêt à sacrifier mon bras droit.

Lord Yaxley demeura silencieux un instant, le

regard fixé sur le visage de son ami. Puis il questionna à mi-voix :

— Il existe une raison particulière pour que tu sois d'une humeur aussi noire?

Le comte de Helstone ne répondit pas et s'assit devant la cheminée, fixant les flammes.

— C'est Genevieve, n'est-ce pas? demanda lord Yaxley au bout d'un moment.

— En partie, admit-il.

— Qu'a-t-elle bien pu faire?

— Si tu tiens à le savoir, elle m'a annoncé qu'elle allait avoir un enfant.

Lord Yaxley le dévisagea avec stupeur, puis il s'écria d'une voix cassante :

— Ce n'est pas vrai!

Le comte de Helstone s'arracha à la contemplation du feu pour se tourner vers son ami.

— Que veux-tu dire?

— Ce que je dis. C'est un mensonge, parce qu'à la suite d'une chute de cheval qu'elle a faite dans sa jeunesse elle ne peut plus avoir d'enfant. Les médecins l'ont confirmé. C'est elle-même qui l'a expliqué à ma sœur cadette il y a longtemps déjà. (Il marqua une pause, puis ajouta :) C'est une des raisons pour lesquelles je redoutais tellement que tu l'épouses. Cela ne me regarde pas, bien sûr, et je ne voulais pas m'en mêler, mais je t'aurais prévenu avant que tu la mènes à l'autel.

Lord Helstone se renfonça dans son fauteuil.

— Tu en es sûr, Willoughby?

— Absolument certain. Ma sœur fréquentait la même école que Genevieve et elle m'en a parlé à l'époque. Quand elle a épousé Rodney, il désirait qu'elle lui donne un fils. Selon ma sœur, ils ont consulté une demi-douzaine de médecins, mais en vain.

Il reprit après un silence :

— Si tu veux mon avis, Genevieve est décidée à tout pour t'avoir et elle a inventé cette histoire dans l'espoir que tu te conduiras en galant homme.

Lord Helstone se leva.

— Merci, Willoughby. Tu m'as ôté un poids. Et maintenant je pense que nous devrions nous coucher. Si nous voulons assister à l'entraînement demain, il faut partir d'ici à 6 heures.

— Eh bien, heureusement que je n'ai pas beaucoup bu! commenta lord Yaxley tandis qu'il se dirigeait vers la porte.

Il savait que lord Helstone ne souhaitait pas continuer à parler de lady Genevieve.

D'autre part, il était content que son ami ait soulevé le premier le sujet, ce qui lui avait permis de donner sans embarras le renseignement qu'il avait sur les lèvres depuis longtemps.

Si intimes qu'ils fussent, lord Yaxley savait que le comte de Helstone gardait une extrême réserve sur le chapitre de ses amours et, pendant qu'ils montaient l'escalier pour gagner leurs chambres, il songea que seules des circonstances exceptionnelles pouvaient l'inciter à avouer ce qui le tourmentait, comme il l'avait fait ce soir.

« Au diable Genevieve! », se dit lord Yaxley quand ils se séparèrent sur le palier et entrèrent chacun dans sa chambre.

Il n'en doutait pas, c'est l'idée d'être obligé d'épouser la délicieuse veuve qui avait gâché la joie de lord Helstone lorsqu'il avait gagné la course de l'après-midi et qui l'avait rendu plus que de coutume songeur et irritable.

Mais avec ou sans le problème de Genevieve il était dégoûté de la vie mondaine et de sa chance proverbiale qui changeait tout ce qu'il touchait en or, lord Yaxley s'en était aperçu depuis quelque temps.

« Osric a raison, songea-t-il en se couchant. Il a besoin d'une guerre ou d'un défi du même ordre pour le stimuler. »

La conclusion de lord Yaxley fut que son malheur venait d'une trop grande abondance de biens.

Le comte de Helstone était si incroyablement riche qu'il pouvait se permettre d'acheter pratiquement n'importe quoi. Chevaux, femmes, objets de prix — il n'avait nulle peine à se donner pour les avoir.

Peut-être étaient-ce ses succès à satiété qui le rendaient cynique et même ses meilleurs amis décelaient en lui une dureté de plus en plus perceptible.

Elle se voyait sur son visage.

On aurait eu peine à imaginer plus bel homme mais, même quand une étincelle d'amusement pétillait dans ses yeux, ceux qui le connaissaient bien découvraient rarement la moindre douceur dans son expression.

Il attendait de ses domestiques et de ses employés la perfection dans l'accomplissement de leur tâche et il n'était presque jamais désappointé.

Ses résidences et ses domaines étaient admirablement gérés et, s'il y avait des difficultés ou des problèmes mineurs, on ne les lui signalait pas.

Il employait les meilleurs hommes d'affaires, régisseurs, secrétaires et avocats. Il était le commandant en chef qui préparait une campagne et était peu souvent, pour ne pas dire jamais, déçu par les résultats.

« Il a trop! », se dit lord Yaxley qui se demandait avant de s'endormir quel remède lui conviendrait.

Après les courses du lendemain, les deux gentilshommes retournèrent ensemble à Londres. Le comte de Helstone conduisait son phaéton que tirait un attelage de merveilleux chevaux et le parcours fut accompli en un temps qu'ils considèrent comme record.

En arrivant à Helstone House, l'hôtel particulier de son ami dans Piccadilly, lord Yaxley dit :

— Te retrouverai-je à dîner, ce soir? Je crois que nous sommes invités tous les deux chez les Devonshire.

— Ah? répliqua-t-il avec indifférence. Mon secrétaire doit avoir la liste de mes engagements.

— Tiens, à propos, est-ce que tu séjourneras de nouveau chez lady Chevington pour le Derby? Je sais qu'elle te l'a demandé.

— Je crois que j'ai reçu son invitation, en effet.

— As-tu l'intention d'accepter?

Il y eut un instant de silence. Puis comme lord Helstone immobilisait ses chevaux devant l'entrée de sa demeure, il répliqua :

— Pourquoi pas? C'est de loin la maison la plus confortable à proximité d'Epsom et en tout cas ses réceptions sont parfois amusantes.

— Alors nous pouvons y aller ensemble. M'emmèneras-tu, Osric, ou bien as-tu d'autres projets?

— Je serai ravi de te prendre avec moi.

Les deux hommes se séparèrent, le valet de lord Helstone devant raccompagner lord Yaxley à son domicile distant seulement de deux pâtés de maisons.

Le comte traversa le hall d'entrée pour se rendre dans la bibliothèque.

Il n'y était que depuis un instant quand son secrétaire, Mr Grotham, entra et s'inclina.

— Quelque chose d'important, Grotham?

— Beaucoup d'invitations, monsieur le comte, mais je ne vous dérangerai pas à ce sujet maintenant, et plusieurs lettres personnelles. Je les ai mises sur votre bureau.

Le comte s'approcha et vit quatre enveloppes dont la suscription était manifestement d'une écriture féminine.

Mr Grotham avait toujours trop de tact pour ouvrir une lettre ou un billet qu'il jugeait personnels et, après des années au service de lord Helstone, il était devenu très habile à reconnaître les écritures féminines.

Trois des lettres étaient de lady Genevieve — son écriture hardie et tarabiscotée était caractéristique. Il les contempla en pinçant les lèvres.

Il n'avait pas reparlé du sujet dont il avait discuté avec lord Yaxley la veille au soir, mais la colère que le renseignement donné par son ami avait suscitée couvait toujours.

Comment osait-elle tenter de le prendre au plus vieux piège du monde, se demanda-t-il, et comment avait-il pu être assez stupide pour croire même une minute qu'elle lui disait la vérité?

Il avait commencé sa liaison avec lady Genevieve sans la moindre intention de la transformer en quelque chose de sérieux. Il avait considéré que ce serait un caprice agréable entre deux personnes raffinées qui connaissaient les règles du jeu.

Que Genevieve soit tombée amoureuse de lui, à en croire ce qu'elle lui disait, ne l'avait nullement inquiété, en dehors du fait qu'elle semblait décidée à proclamer continuellement sa passion pour lui à cor et à cri.

Il l'avait trouvée désirable, fascinante à l'extrême, une des femmes les plus ardentes qu'il ait connues.

Elle l'amusait et en retour de ses faveurs il lui avait offert des diamants, des rubis et avait réglé un flot de factures exorbitantes émanant des couturières de Bond Street. Il lui avait donné aussi une voiture et des chevaux que tous ses amis enviaient.

Pas un instant il n'avait envisagé d'épouser Genevieve Rodney.

L'expérience acquise l'avertissait qu'elle était de ce type de femme incapable de fidélité envers un mari ou un amant.

Il avait la conviction que si la tentation s'offrait, elle n'hésiterait pas à le tromper à son insu avec n'importe qui.

Mais ce dont il ne se rendait pas compte, c'est que Genevieve le trouvait irrésistible simplement et uniquement parce que — comme on le disait si souvent de lui — il était insaisissable.

Aucune femme n'avait jamais pu le capturer entièrement.

Même dans les moments d'intimité la plus grande, Genevieve sentait toujours qu'elle ne le possédait pas, qu'il n'était pas complètement et sincèrement à elle. Alors, comme il lui échappait, elle qui pour la première fois de sa vie peut-être était celle qui recherchait au lieu d'être celle qu'on recherchait, elle était tombée amoureuse de lui!

Elle n'était pas profonde de caractère et ressentait les choses de façon assez superficielle, mais elle avait une nature ardente et quand quelqu'un lui plaisait elle brûlait d'une passion insatiable.

Avec Osric Helstone, son cœur restait insatisfait, quelque parfait amant qu'il se montrât.

Elle le voulait à ses pieds, elle le voulait soumis comme d'autres hommes avant lui, elle voulait le capturer et parce qu'il se dérobait elle avait résolu de l'épouser.

Quand bien même ne s'y serait pas mêlé un désir personnel, le comte était un beau parti que n'aurait refusé aucune femme.

En dehors de ce que l'on racontait sur son énorme fortune, ses domaines et les objets de prix qu'il possédait, les femmes n'avaient qu'à le regarder — grand, bien découplé, beau et sûr de lui — pour sentir leur cœur bondir dans leur poitrine.

Genevieve avait joué de toutes ses ressources pour le séduire.

Elle n'eut pas de peine à éveiller sa sensualité et il se montra d'une extrême générosité. Mais jamais il ne déclara l'aimer : il avait toujours à la bouche un sourire cynique et un ton légèrement persifleur quand il lui parlait.

Elle ne comprenait que trop bien qu'elle ne lui était pas indispensable. Lorsqu'il la quittait, elle ne savait jamais quand ils se reverraient. Elle n'était même pas sûre de lui manquer quand il était loin d'elle.

Bref, il la rendait folle!

— Quand vas-tu m'épouser, Osric? demanda-t-elle avec audace une nuit, tandis qu'elle reposait dans ses bras et que seul le feu éclairait la chambre tout odorante de fleurs.

— Tu es insatiable, Genevieve!

— Insatiable?

— Oui. Je t'ai donné un collier de diamants hier. La semaine dernière, il s'agissait de rubis et la semaine d'avant, si je ne me trompe, d'une broche d'émeraude qui t'avait fait envie — et maintenant tu veux encore autre chose!

— Rien qu'un petit anneau d'or! dit-elle à voix basse.

— C'est la seule chose que je n'ai pas les moyens de t'offrir.

— Pourquoi? Nous serions si heureux ensemble... tu le sais bien.

23

Il répondit évasivement par une question :

— Qu'appelles-tu le bonheur?

— Etre avec toi. Tu sais bien que je te rends heureux.

Elle s'était rapprochée de lui et avait rejeté la tête en arrière, lui offrant ses lèvres.

Il la regarda et elle fut incapable de déchiffrer son expression.

— Je t'aime, dit-elle. Epouse-moi, je t'en prie, épouse-moi.

En réponse, il l'avait étreinte avec passion et le feu qui couvait toujours chez l'un et l'autre s'embrasa soudain.

Ils s'y consumèrent et ce n'est que plus tard, restée seule, que Genevieve se rappela qu'il n'avait pas répondu à sa demande.

Et maintenant, furieux, il posait un regard dur sur les trois lettres où son nom était tracé de la même écriture sophistiquée et volontaire.

Il choisit d'en prendre une autre dont il ne reconnaissait pas l'écriture.

— Si vous n'avez plus besoin de moi, mylord, et si vous n'avez pas d'autres instructions à me donner, dit respectueusement Mr Grotham, puis-je me retirer?

— Je dîne chez les Devonshire ce soir, je crois?

— Oui, mylord. J'ai donné les ordres pour la voiture.

— Quelle réponse avez-vous faite à l'invitation de Lady Chevington pour Epsom?

— Vous aviez dit que vous y réfléchiriez à votre retour.

— Acceptez! dit-il d'un ton bref.

— Très bien, mylord, et puis-je me permettre de féliciter Votre Seigneurie pour sa victoire d'hier?

— Les valets vous l'ont dit, je pense? C'était très

satisfaisant. Je crois que Delos se révélera un excellent cheval.

— Je l'espère, mylord, je l'espère sincèrement!

— Avez-vous misé quelques shillings sur lui?

— Oui, mylord, comme toute votre maison. Nous avons tous une grande confiance dans le jugement de Votre Seigneurie.

— Merci!

Mr Grotham quitta la pièce et referma silencieusement la porte derrière lui.

Lord Helstone s'avisa qu'il tenait une lettre à la main et l'ouvrit. Il la lut puis l'examina avec surprise.

Tracé d'une écriture très nette et élégante au milieu d'une feuille de papier blanc, il y avait le message suivant :

Si Votre Seigneurie désire apprendre quelque chose qui lui sera très utile, voudra-t-Elle se rendre au pont de la Serpentine, sur la berge sud, à 9 heures demain matin vendredi? C'est d'une extrême importance!

« Que diable cela signifie-t-il? », se demanda lord Helstone.

Le billet n'était pas signé et il se dit que c'était peut-être une farce.

Il avait déjà souvent reçu des lettres de femmes qu'il ne connaissait pas, mais elles signaient toujours et prenaient soin que leur adresse figure sur le papier à lettre afin qu'il puisse leur répondre.

Mais rien n'était indiqué sur le présent billet à part le message laconique.

Quant à être un procédé pour faire connaître un nouvel établissement où se distraire la nuit, cette éventualité qu'il envisagea ensuite lui parut finalement improbable puisqu'aucune adresse n'était mentionnée. Ce qui valait aussi pour une missive émanant d'une des jolies courtisanes toujours en quête de nouveaux clients.

A plusieurs reprises, il avait reçu une invitation de femmes qu'il ne connaissait pas. Les réceptions s'étaient révélées soit des orgies, soit des rendez-vous avec quelque belle charmeuse qui comptait sur une rétribution coquette en échange de ses faveurs.

Cette lettre ne pouvait appartenir à aucune de ces catégories et peut-être, songea lord Helstone, était-elle en fait exactement ce qu'elle prétendait être : un message l'invitant à un rendez-vous où il apprendrait quelque chose d'intéressant! Mais il ne voyait vraiment pas quoi.

L'écriture était celle d'une personne cultivée et le papier à lettres était raffiné, de toute évidence.

Il agita la sonnette posée sur son bureau et la porte fut ouverte aussitôt par un valet.

— Envoyez-moi Barker, ordonna-t-il.

Quelques secondes plus tard, son maître d'hôtel entrait dans la pièce.

— Votre Seigneurie a besoin de moi, m'lord?

— Oui, Barker. Vous rappelez-vous qui a apporté ce billet?

Il lui tendit l'enveloppe.

— Oui, m'lord. Je me trouvais dans le hall comme un billet venait d'être déposé pour Votre Seigneurie par un valet vêtu de la livrée de lady Geneviève Rodney.

— Et celui-ci...

— ... a été apporté par un gamin assez mal habillé, m'lord. J'ai même été surpris que cette lettre ait un tel messager.

— Lui avez-vous demandé d'où il venait? questionna le Comte.

Il savait que Barker était très curieux et que rien ne lui échappait de ce qui se passait dans la maison.

— En effet, m'lord, j'ai jugé sage de poser quelques questions à ce garçon, répliqua Barker avec dignité.

— Que vous a-t-il dit?

— Il m'a informé qu'une dame lui avait donné une pièce pour apporter la lettre ici. C'est un gamin qui traîne toujours sur la place, m'lord, avec l'espoir de gagner quelques sous en gardant un cheval ou en faisant une commission.

— Il ne vous a rien dit de plus?

— Non, m'lord.

En reposant le billet, lord Helstone songea qu'il serait ridicule de prendre la peine de se rendre à un pareil rendez-vous et que s'il le faisait il découvrirait probablement que c'était un nouveau moyen pour lui extorquer un petit prêt d'argent.

Puis quand il se leva, laissant sur son bureau les lettres de lady Genevieve sans les ouvrir, il sut que tout en se raillant de sa curiosité il ne manquerait pas de se trouver du côté sud du pont de la Serpentine le lendemain matin à 9 heures!

Lord Helstone se coucha plus tard qu'il n'en avait eu l'intention car il s'était laissé entraîner chez les Devonshire dans une controverse politique qui avait duré jusqu'à l'aube.

Il était en conséquence d'humeur assez massacrante quand il fut tiré d'un profond sommeil par son valet de chambre à 8 heures, heure habituelle de son réveil.

Son bain était préparé sur le tapis du foyer dans sa chambre, devant le feu. Comme il ne voulait pas que l'eau refroidisse, il résista à l'envie de se renfoncer dans ses oreillers et se leva.

Vingt minutes plus tard, il descendit dans la salle à manger réservée au petit déjeuner et contempla d'un œil noir les nombreux plats d'argent alignés sur la desserte.

Après examen, il demanda à Barker de lui servir des rognons à la crème, puis il se mit à table.

Quand les rognons arrivèrent, il les refusa d'un geste et réclama une simple côtelette d'agneau grillée.

Son reaps terminé, il commença à se sentir mieux et se dit que s'il n'étaitpas dans sa forme coutumière il le devait à la chaleur excessive qui réggnait chez les Devonshire et à la mauvaise qualité du cognac offert par le duc.

Comme il l'avait expliqué à lord Yaxley, il buvait rarement avec excès. Il n'avait pas été le moins du monde ivre la veille au soir, mais il avait absorbé du cognac au cours de la discussion qui s'était prolongée jusqu'au petit jour.

Il avait eu par conséquent du mal à trouver le sommeil quand il s'était finalement couché et cela, combiné avec le long trajet pour revenir de Newmarket, l'avait fatigué plus que d'ordinaire.

Il conclut qu'il avait besoin d'air pur et sortit. Il trouva devant la porte, l'attendant, un étalon noir qu'il venait d'acheter à la salle des ventes de Tattersall la semaine précédente.

Il découvrit soudain que sa migraine et sa mauvaise humeur s'étaient dissipées sous l'effet du soleil printanier.

Ce cheval était magnifique! Indiscutablement.

Ses muscles roulaient sous sa robe luisante, il secouait la tête et piaffait avec une ardeur indiquant à lord Helstone que c'était un animal valant la peine

Deux palefreniers peinaient pour immobiliser l'étalon et ils faillirent être obligés de lâcher prise, quand le comte se mit en selle.

L'animal fit un saut de côté et se cabra pour montrer son indépendance. Il ne réussit à le maîtriser qu'au bout d'un moment.

Ils avaient longé Piccadilly et étaient arrivés à Hyde Park lorsque lord Helstone constata avec un sentiment de triomphe qu'une fois de plus il était maître de sa monture.

Rien ne lui plaisait autant que de lutter avec un cheval décidé à ne pas céder à sa volonté.

Ils s'étaient opposés un certain nombre de fois avant que lord Helstone, enfonçant solidement son haut-de-forme sur sa tête, emmène l'étalon à vive allure dans le Row.

A l'écart du coin à la mode où le bon usage proscrivait le galop, il rendit la bride à son cheval et le laissa aller à fond de train jusqu'à ce qu'un scintillement argenté apparaisse, lui indiquant qu'ils étaient près de la Serpentine.

Remettant sa monture au trot, il tira de son gousset sa montre d'or et regarda l'heure.

9 heures juste!

Il avait eu l'intention de ne pas être ponctuel — ce n'est jamais mauvais de faire attendre un importun comme le scripteur du billet — mais étant donné la rapidité avec laquelle il avait galopé il se trouvait finalement à l'heure.

Il se dirigea droit vers le pont et vit en approchant que personne n'était là.

« C'était une farce », pensa-t-il.

Néanmoins, parce qu'il était curieux de savoir pourquoi on avait pris la peine de lui jouer ce tour, il arrêta l'étalon et resta à contempler le long ruban d'argent de la rivière.

Son cheval s'ébrouait nerveusement et il venait de se décider à continuer sa promenade quand il vit à travers les arbres une femme chevauchant dans sa direction à une allure presque aussi vive que celle qu'il avait adoptée en arrivant.

Elle portait une tenue d'amazone verte et le voile qui entourait son chapeau flottait derrière elle comme une oriflamme.

Il attendit sans broncher et son œil expérimenté remarqua qu'elle montait un animal de très belle race.

Puis à sa stupeur, comme le cheval s'avançait toujours, apparemment lancé droit sur lui, la cavalière tomba de sa selle à ses pieds.

Il en fut si surpris qu'il la regarda un instant avec des yeux ronds. La cavalière demeurant immobile, il mit vivement pied à terre, accrocha d'une main experte les rênes de son étalon à un poteau près du pont et s'approcha d'elle.

Quand il fut à son côté, il vit qu'elle avait les yeux fermés mais lorsqu'il se pencha, les mains tendues, elle ouvrit les paupières.

— Etes-vous le comte de Helstone? demanda-t-elle.

— Oui. Vous n'avez rien de cassé?

— Bien sûr que non! répliqua-t-elle d'une voix étonnante de fermeté. Mais j'ai quelque chose à vous dire et nous devons nous dépêcher.

— De quoi s'agit-il?

Elle n'était pas blessée, c'était évident, elle ne souffrait pas, mais elle continuait à rester à terre, appuyée toutefois sur un coude et la tête levée.

Il pensa qu'elle était extraordinairement séduisante. Elle avait des cheveux blonds aux reflets roux sous son chapeau foncé, une peau très blanche et de grands yeux gris-vert qui semblaient immenses dans son petit visage.

Elle était jeune, c'était évident, mais sa voix avait pourtant un aplomb qu'il ne s'attendait pas à trouver chez quelqu'un de cet âge.

— Vous avez été invité à séjourner chez lady Chevington pour les courses d'Epsom? questionna-t-elle.

— En effet.

— Vous devez refuser. Ecrivez en donnant n'importe quelle excuse mais en aucun cas n'acceptez cette invitation.

— Pourquoi cela? dit-il, abasourdi. Et en quoi cela vous concerne-t-il?

La jeune fille allait répondre quand un martèlement de sabots retentit et un valet d'écurie s'approcha d'eux en hâte.

C'était un homme d'un certain âge. Quand il vit sa maîtresse étendue sur le sol, il s'exclama d'un ton consterné :

— Qu'est-ce qui vous est arrivé, miss Calista? Vous n'êtes pas blessée?

— Non, je n'ai rien, Jenkins, répliqua la jeune fille. Allez rattraper Centaure.

— Voyons, miss Calista, vous savez bien que je n'y parviendrai pas..., commença-t-il.

Lord Helstone le regarda sévèrement.

— Vous avez entendu les ordres. Rattrapez le cheval et amenez-le ici.

Le valet reconnut la voix de l'autorité et porta la main à sa casquette.

— Bien, sir.

Il éperonna sa monture et s'éloigna.

La jeune fille s'assit. Puis à l'étonnement du comte elle arrondit les lèvres et émit un sifflement bas et long qu'elle fit suivre d'un plus court.

Son cheval qui broutait placidement à quelque distance sur leur gauche leva aussitôt la tête.

comte valet sir.

presque mais, quand il fut à portée de la main, le cheval se détourna et s'éloigna en trottant, puis se remit à brouter une dizaine de comte plus loin. Le valet le suivit et il recommença son manège.

Lord Helstone reporta son regard sur la jeune fille.

— C'est vous qui lui avez appris à se conduire de cette façon? questionna-t-il. Et il ne vous a pas désarçonnée — vous vous êtes jetée délibérément à terre.

— Bien sûr que oui. Jamais Centaure ne me désarçonnerait! Seulement je voulais vous parler et je ne tenais pas à ce que Jenkins puisse se douter que nous nous étions donné rendez-vous car il aurait prévenu maman.

— Qui est votre mère?

— Lady Chevington.

Il la dévisage, perplexe.

— Alors pourquoi me dites-vous que je ne dois pas accepter l'invitation de votre mère à Epsom?

— Parce qu'elle vous obligera à m'épouser!

Sur le moment, il crut qu'elle plaisantait, mais en plongeant son regard dans le sien il y vit de la gravité et comprit qu'elle croyait ce qu'elle disait.

Il répliqua avec l'ombre d'un sourire sur les lèvres :

— Je vous assure que je suis capable de veiller sur moi-même. Si je séjourne chez vous pour les courses, je ne demanderai pas votre main, n'ayez crainte.

— Ne soyez donc pas ridicule! riposta sèchement la jeune fille. Vous ne comprenez pas ce que je veux vous expliquer. Vous n'aurez aucune chance de me demander en mariage ou moi de vous refuser. Ce que je vous garantis que je ferais! Vous serez obligé de m'épouser. Vous y serez contraint par ruse et vous n'aurez aucun moyen de vous dérober sans vous déshonorer.

Lord Helstone se redressa.

— Je suis certain que votre avertissement procède d'une excellente intention, déclara-t-il, mais je ne comprends pas pourquoi vous êtes tellement inquiète. Je vous l'affirme, miss Calista, je n'ai aucune intention de me marier avec qui que ce soit!

— Et moi je n'ai pas l'intention de vous épouser, rétorqua-t-elle presque insolemment, mais si vous ne tenez pas compte de mon avertissement et acceptez l'invitation de maman, elle se débrouillera pour nous marier.

Il rit.

— Je ne vois vraiment pas comment je pourrais être contraint d'accepter une situation que je n'aurais pas voulue. Soyez assurée, miss Calista, que ce que vous craignez ne se produira pas.

Calista se releva.

— Vous êtes un imbécile! J'aurais dû me douter que je perdrais mon temps à vous écrire.

Elle épousseta sa tenue de cheval et ajouta :

— Pourquoi croyez-vous que le duc de Frampton a épousé Ambrosine, ma sœur aînée, ou le marquis de Northaw mon autre sœur Beryl?

Elle eut l'air d'attendre une réponse mais il se contenta de la dévisager d'un air méditatif, et elle expliqua :

— Ils se sont retrouvés fiancés parce que ma mère avait décidé de les avoir pour gendres. A présent, c'est vous qu'elle a choisi comme mari... pour moi.

— Cette idée vous remplit visiblement d'horreur! commenta-t-il d'un ton sarcastique.

— J'imaginais que vous auriez assez de bon sens pour ne pas traiter cet avertissement en plaisanterie! Vous avez la réputation d'être intelligent, mais on m'a induite en erreur, à ce que je vois. Très bien, venez à Chevington Court, mais je vous jure que je ne vous épouserai pas, quoi qu'il arrive!

— Que pourrait-il bien arriver?

— Vous verrez! fut son inquiétante réplique. Et laissez-moi vous dire que maman gagnera un pari de mille guinées le jour où nos fiançailles seront annoncées dans la *Gazette*!

— Je vous affirme qu'elle le perdra.

Il eut l'impression que la jeune fille lui lançait un coup d'œil de mépris avant de se retourner vers le valet qui tentait, toujours en vain, d'attraper son cheval.

Visiblement, l'animal jouait et s'amusait.

Dès que le valet arrivait à côté de lui et se penchait pour saisir les rênes, il s'éloignait — suffisamment près pour inciter à le suivre mais juste hors de portée.

La jeune fille émit un nouveau sifflement aigu, sur une seule note et voici que, sans hésiter, le cheval accourut vers elle au trot, l'étrier oscillant au rythme de sa marche.

Elle tendit le bras pour lui caresser l'encolure et il frotta son nez contre sa joue.

— Avez-vous appris ces tours à votre cheval? questionna lord Helstone.

— Bien sûr. Il comprend tout ce que je lui dis. C'est pour cela qu'on l'appelle Centaure.

— Une créature moitié homme moitié cheval, commenta-t-il en souriant.

— Je suis heureuse de voir que vous avez plus de

notions de grec que vous n'avez de sens commun! riposta la jeune fille.

Son regard alla au delà du comte vers son étalon qui essayait de se libérer de la bride le retenant au poteau.

— Quel cheval magnifique! s'exclama-t-elle d'un tout autre ton.

— C'est une nouvelle acquisition. Aurais-je su le rôle que je devais jouer ce matin, j'aurais amené une bête plus paisible.

Tout en parlant, il se dirigea vers l'étalon pour le détacher.

Le cheval se cabra, ses sabots de devant battirent l'air au-dessus de la tête de lord Helstone.

Il parla doucement à l'animal et, après lui avoir caressé l'encolure, s'installa en selle avec légèreté, si vite que l'étalon eut à peine le temps de se rendre compte de ce qui se passait.

Il fit tourner l'animal et découvrit que la jeune fille s'était mise en selle aussi.

— Merci de m'avoir si aimablement aidée, lança-t-elle à haute voix, et il comprit qu'elle disait cela à l'intention du valet.

— Salue le gentilhomme, Centaure, ordonna-t-elle.

A la surprise de lord Helstone, le cheval avança une jambe de devant, plia l'autre et inclina la tête.

Puis, sans un regard de plus à son adresse, la jeune fille s'éloigna.

Il la suivit des yeux et constata qu'elle avait une excellente assiette et faisait une merveilleuse cavalière.

Songeant ensuite à ce qu'elle avait dit, à sa curieuse façon de se conduire et à la manière dont elle s'était laissée tomber à ses pieds du haut de son cheval, il sourit et songea : « Il faut que je découvre ce que cache tout cela! »

2

Lady Genevieve Rodney regarda la robe que lui présentait Mme Madeleine, la couturière la plus chère de Londres, et ne put réprimer une légère exclamation de plaisir.

— Ravissante! s'exclama-t-elle.

— J'étais sûre que Votre Seigneurie serait de cet avis. Elle est arrivée hier de Paris et dès que j'ai ouvert le carton, je me suis dit qu'elle était faite pour vous, madame.

— Elle doit être très chère, remarqua lady Genevieve d'une voix hésitante.

On ne pouvait trouver plus beau point de Venise, elle le savait, que celui qui était fixé à la robe par des boutons de rose, bordant le décolleté qui dégageait les épaules du corsage à la grecque et entourant la jupe ample de trois épais volants.

Elle n'oubliait pas non plus que lord Helstone venait de payer seulement la semaine précédente l'exorbitante note de Mme Madeleine qui était restée en souffrance.

Mme Madeleine eut l'adresse de se taire et de se contenter de faire tourner la robe pour que lady Genevieve voie les délicats rubans de satin de toute première qualité qui en ornaient le dos.

Déposant la robe sur le lit, elle présenta une autre robe encore plus travaillée en ottoman rubis foncé.

Le corsage très décolleté était mis en valeur par de volumineuses manches en soie et en tulle, cependant qu'une broderie diamantée montée sur velours encerclait la taille cintrée. Une broderie diamantée scintillait aussi dans les plis et au bas de la jupe.

— Pour les grandes occasions, Votre Seigneurie! dit-elle d'un ton enjôleur. Pour un des trois bals que Sa Majesté donne en l'honneur de son Couronnement, par exemple.

Lady Genevieve ne répondit pas et au bout d'un instant Mme Madeleine reprit :

— J'espère que j'aurai l'honneur et le privilège d'habiller Votre Seigneurie pour la cérémonie? Vous ferez certainement sensation à Westminster si j'exécute pour vous une toilette extraordinaire, notamment en ce qui concerne la couleur.

Après un silence, lady Genevieve demanda :

— Quelle couleur envisagez-vous?

— Les personnes qui porteront la traîne, toutes des jeunes filles, auront une toilette blanc et argent avec une guirlande argent semée de boutons de rose roses dans les cheveux. Cela m'a paru très approprié quand j'ai su ce qui avait été choisi. Mais pour vous, madame...

Elle marqua un temps et constata que lady Genevieve l'écoutait avec attention.

— J'ai pensé à de la gaze bleu paon pour le corsage au décolleté profond moulant la magnifique poitrine de Votre Seigneurie. Et pour la jupe très ample un fondu de vert et de bleu, avec une traîne bordée d'hermine.

— C'est séduisant, convint lady Genevieve.

— J'ai fait un petit croquis juste pour vous montrer ce que j'avais dans l'idée, madame.

Tout en parlant, Mme Madeleine posa sur la coiffeuse une esquisse dessinée par un modéliste qui avait adroitement campé le beau visage et le corps mince et souple de lady Genevieve.

Le croquis reproduisait les épaules blanches, tombantes comme le voulait la mode, et soulignait la taille étranglée, la jupe ample se prolongeant par une traîne certainement plus longue et plus volumineuse qu'aucune de celles que porteraient les pairesses invitées à la cérémonie, lady Genevieve en eut le sentiment.

— Très original, commenta-t-elle. Et comme vous dites ce sera sans aucun doute une toilette sensationnelle.

— Le vert de la robe s'harmoniserait bien avec un diadème d'émeraudes et de diamants assorti à votre collier, suggéra Mme Madeleine. Le vert donne aux yeux de Votre Seigneurie un éclat mystérieux et très provocant!

Lady Genevieve rit.

— Madame Madeleine, vous êtes la persuasion incarnée et bien plus encourageante que la diseuse de bonne aventure que je suis allée consulter la semaine dernière dans Maddock Street.

— Je peux prédire votre avenir sans regarder les lignes de votre main, répliqua Mme Madeleine. Il est inscrit sur votre visage. Qui d'autre dans la haute société vous arrive à la cheville?

Lady Genevieve rit de nouveau.

— Laissez-moi le croquis, dit-elle. Cette robe coûtera sûrement les yeux de la tête, mais, si elle donne envie de grincer des dents et de s'arracher les cheveux aux autres dames invitées à l'abbaye de Westminster, tout l'honneur vous en reviendra.

Mme Madeleine sourit.

— Et les autres robes? demanda-t-elle d'une voix neutre.

— Je les garde toutes les deux, mais ne m'envoyez pas votre note avant trois semaines au moins. Vous attendrez peut-être d'ailleurs le règlement un peu plus longtemps.

— Votre Seigneurie n'a certainement pas de mauvais sang à se faire pour les questions d'argent.

Le sous-entendu était évident. Mme Madeleine savait bien qui payait et sa longue expérience lui avait appris qu'une femme doit attendre le moment favorable pour demander de faire régler ses factures, surtout quand elle a déjà tellement dépensé.

— Les robes iront à Votre Seigneurie comme un gant, reprit Mme Madeleine. Les petites retouches que j'avais jugées nécessaires ont été effectuées avant que je les apporte. S'il y a quoi que ce soit d'autre à modifier, prévenez-moi, et j'accourrai auprès de vous aussi vite que mes jambes peuvent me porter.

— Vous êtes toujours l'obligeance même, madame Madeleine, répliqua machinalement lady Genevieve.

Laissant les deux robes côte à côte sur le couvre-lit de satin, Mme Madeleine s'inclina et sortit. Et lady Genevieve se contempla dans la glace avec un léger sourire de satisfaction.

Elle s'était demandé ce qu'elle porterait au Couronnement. Elle tenait à ce que sa présence ne passe pas inaperçue.

Les gens, pensait-elle avec dépit, parlaient trop et avec trop d'enthousiasme de cette petite jeune fille de dix-neuf ans sans grande beauté qui venait d'accéder au trône.

Impossible de nier, bien sûr, que la reine jouissait d'une popularité sans égale chez ses sujets et que ses ministres étaient décidés à faire de son Couronnement une journée inoubliable pour le pays tout entier.

Lady Genevieve n'en trouvait pas moins irritant que le Parlement ait voté deux cent mille livres sterling pour le Couronnement de la reine Victoria alors que cinquante mille seulement avaient été dépensées pour le souverain précédent.

« Que ne ferais-je pas avec une somme pareille! », avait-elle songé.

Parce qu'elle voulait toujours occuper le centre de la scène, lady Genevieve était agacée d'entendre les gens parler presque uniquement de la cérémonie qui aurait lieu le 28 juin.

L'abbaye de Westminster aurait un splendide décor pourpre et or. Une grande fête de deux jours avec ascension de ballon serait organisée dans Hyde Park et il y aurait aussi des illuminations et des feux d'artifice.

« Si vous voulez mon avis, c'est de l'argent gaspillé de façon ridicule », avait déclaré lady Genevieve à plusieurs reprises — et elle avait découvert que personne n'était disposé à lui donner raison.

Ses amies ne se préoccupaient que de leurs toilettes et les couturières étaient assiégées par des clientes réclamant des étoffes et des modèles nouveaux sans s'inquiéter du prix.

Lady Genevieve avait retardé exprès sa commande pour avoir d'abord une idée de ce que porteraient ses rivales.

Elle désirait les éclipser toutes et elle savait qu'il lui fallait avant tout mettre en valeur sa taille fine, ses épaules d'un blanc ivoire et sa peau sans défaut, car ses bijoux étaient très beaux mais ne pouvaient rivaliser avec ceux des duchesses et des marquises qui possédaient des joyaux de famille accumulés au fil des générations.

Sa toilette et son entrée devaient être soigneusement calculées, elle en avait conscience. Ce n'était pas seulement les nombreux membres de la haute société qu'elle souhaitait éblouir mais surtout un pair du royaume en particulier — le comte de Helstone.

En pensant à lui, elle plissa légèrement le front et ses lèvres rouges prirent une expression un peu boudeuse.

Il n'était pas commode à manier. En fait, c'était l'homme le moins malléable qu'elle ait connu, mais elle avait décidé de l'épouser et elle était résolue à obtenir ce qu'elle voulait.

« Si nos fiançailles étaient annoncées avant le Couronnement, se dit-elle, ce serait un succès de plus à mon actif qu'il m'escorte jusqu'à ma place dans l'abbaye. »

Elle avait senti que « L'Insaisissable » se montrait plus insaisissable que d'ordinaire, mais elle était convaincue qu'il ne lui échapperait pas et qu'elle avait abattu sa carte maîtresse le soir où il était venu chez elle, la veille de son départ pour les courses de Newmarket.

Elle songea à ses grands domaines, à sa maison de Piccadilly où elle pourrait recevoir le Beau Monde. Lorsqu'ils se tiendraient tous deux en haut de l'escalier à double révolution, nul doute qu'aucun hôte ne serait plus séduisant, aucune hôtesse plus belle.

Puis il y avait son manoir du Surrey. Rien que d'y penser lady Genevieve soupirait d'aise.

Quelles réceptions elle y donnerait! Des bals en été, avec les hautes portes-fenêtres des salons ouvertes sur les pelouses décorées de statues merveilleuses et sur des roseraies qui parfumaient l'air.

Elle se voyait marchant dans les magnifiques appartements au plafond peint à fresque et aux énormes lustres de cristal, descendant l'escalier aux pilastres sculptés d'emblèmes héraldiques ou se promenant dans la longue galerie de tableaux où son portrait rejoindrait ceux des précédentes comtesses de Helstone.

« Voilà ce que je veux; c'est exactement le cadre qui me convient », se dit-elle en souriant à son reflet dans le miroir.

On frappa à la porte et une de ses femmes de chambre entra.

La jeune personne esquissa nerveusement une révérence dans le dos de sa maîtresse en se demandant de quelle humeur elle était.

Lady Genevieve avait des réactions imprévisibles et ses domestiques savaient par expérience qu'une brosse à cheveux adroitement lancée peut faire très mal.

— Qu'est-ce que c'est? questionna sèchement lady Genevieve au bout d'une minute au moins.

— Le Premier ministre est là, m'lady.

Lady Genevieve se leva d'un bond.

— Le Premier ministre? Pourquoi ne pas l'avoir dit tout de suite, espèce de sotte?

Elle se retourna pour jeter un rapide coup d'œil à son image et fut satisfaite de ce qu'elle voyait. Le négligé qu'elle portait, bien que la matinée fût très avancée, ne voilait guère les lignes de sa silhouette presque parfaite.

La servante lui ouvrit la porte. Elle sortit et descendit lentement l'escalier étroit pour se rendre au salon, au premier étage, où l'attendait le vicomte Melbourne(1).

Cousin éloigné de lady Genevieve, il avait été l'ami intime de son père, le duc de Harrogate. Elle le

---

(1) William Lamb, vicomte Melbourne (1779-1848), homme d'Etat anglais du parti libéral, né à Londres. Premier ministre en 1834 et de 1835 à 1841.

connaissait et nourrissait une profonde affection pour lui depuis son enfance.

Quand elle entra dans le salon et découvrit lord Melbourne qui l'attendait, elle s'élança vers lui avec un petit cri de joie.

A cinquante-neuf ans, le Premier ministre était toujours remarquablement bien de sa personne.

Il avait été très beau dans sa jeunesse, où ses yeux et son port de tête surtout avaient suscité beaucoup d'admiration.

Il aimait la société des femmes pour qui il éprouvait une grande attirance.

C'était un homme du monde exceptionnellement doué, toujours spirituel et original.

Une étincelle d'admiration amusée brilla dans ses yeux de gentleman extrêmement raffiné et averti en apercevant la tenue de lady Genevieve.

Quand elle fut près de lui, elle passa les bras autour de son cou et déposa un baiser sur sa joue.

— Cousin William, comme c'est gentil à toi d'être venu! Je pensais bien que tu répondrais à ma lettre, mais je ne m'attendais pas à te voir aussi vite.

— Tu sais qu'en cas de besoin je suis toujours prêt à t'aider, répliqua lord Melbourne.

— Merci, dit lady Genevieve qui le prit par la main pour le conduire au sofa et le faire asseoir à côté d'elle. Veux-tu boire quelque chose? questionna-t-elle. Un verre de madère ou du champagne, si tu préfères?

— Je ne veux rien sauf te regarder.

Il lui adressa un sourire irrésistible et continua :

— Tu es en beauté, ma chère. Je ne connais personne qui soit aussi ravissante à cette heure matinale.

— Merci, cousin William. Et maintenant, crème des hommes, j'ai besoin de ton secours.

Lord Melbourne haussa les sourcils d'un mouvement interrogateur.

— Il s'agit sûrement d'un oubli, je m'en doute, mais je n'ai pas reçu mon invitation au Couronnement.

D'un geste quasi machinal, lord Melbourne dégagea sa main pour la porter pensivement à son menton.

Il dit d'une voix mesurée sans regarder lady Genevieve :

— Ce n'est pas un oubli.

Un silence s'établit, puis Genevieve demanda d'un ton incrédule :

— Tu veux dire que je ne serai pas invitée?

— La reine a rayé ton nom sur la liste qui lui a été soumise.

— C'est incroyable, murmura-t-elle d'une voix étouffée. Comment ose-t-elle... comment a-t-elle l'audace...

Sa voix s'éteignit et lord Melbourne soupira légèrement.

— Tu as été quelque peu imprudente, ma chère.

— Avec Osric Helstone?

— Lui entre autres, mais peut-être ta liaison et les commérages qu'elle a suscités ont été la goutte d'eau.

— Tu veux dire qu'elle a mis en fureur ces vieilles rosses, ces douairières rancies qui cherchent depuis des années à l'attraper pour leurs laiderons de filles et qui sont décidées à ce que personne ne l'ait dès l'instant qu'elles n'ont pas réussi à le coincer pour elles? s'exclama lady Genevieve avec fureur, les yeux étincelants.

— Tu n'as peut-être pas tout à fait tort sur ce point. Par ailleurs, ma chère, comme je t'en ai avertie il n'y a pas bien longtemps, les temps ont changé.

Ce qui était permis à l'époque brillante de la Régence et qu'a pratiqué George IV quand il a pris la couronne, est à présent très sévèrement jugé.

Un petit sourire jouait sur ses lèvres comme s'il se remémorait les belles heures que lui-même avait vécues dans cette société libertine, dissolue, où les femmes étaient presque aussi libres dans leur conduite que les hommes.

— Le roi Guillaume et la reine Adélaïde, tu le sais, ont fait de leur mieux pour réformer les usages et la moralité, reprit-il.

Lady Genevieve eut un rire de dédain.

— Le roi n'était guère qualifié, puisqu'il a eu dix bâtards de Mrs Jordan.

— Néanmoins, riposta lord Melbourne, il a établi de nouveaux critères de conduite et la plupart des gens s'y sont conformés.

Il regarda lady Genevieve d'un air significatif et elle sourit.

— Je n'ai jamais été conformiste!

— Je le sais, mais il faut que tu comprennes que la reine est très jeune, candide et vertueuse.

Lady Genevieve retint la remarque caustique qui lui montait aux lèvres en se rappelant que selon la rumeur publique lord Melbourne était amoureux de la souveraine.

Un fait était certain, Victoria l'adorait et lui — l'homme spirituel et blasé qui avait été cité comme complice d'adultère dans deux procès en divorce — avait miraculeusement conservé une réputation intacte et était prêt maintenant à mettre en veilleuse son esprit, son scepticisme et son cynisme pour ne pas choquer les oreilles innocentes de la future souveraine.

Ses amis trouvaient incroyable qu'il réussisse à trouver la patience de supporter les longues soirées avec la jeune reine, passées à des distractions enfantines comme de jouer aux dames ou de reconstituer des puzzles.

Lady Genevieve avait même entendu dire que, lorsqu'il parlait de la reine Victoria, les yeux du Premier ministre s'embuaient de larmes.

Elle ne l'avait pas cru mais, à présent, au lieu du commentaire sarcastique qu'elle avait eu envie de faire sur le compte de la jeune reine, elle déclara :

— Voyons, cousin William, tu peux sûrement persuader Sa Majesté que ce serait une insulte majeure qui offenserait tous les membres de ma famille si j'étais exclue de la cérémonie du Couronnement.

Tout en parlant, elle avait conscience que l'argument n'était guère convaincant.

Son père était mort, sa mère vivait au fin fond du comté de Dorset et ne venait jamais à la Cour. Ses autres parents, et ils étaient nombreux, désapprouvaient sa conduite et loin d'être offensés seraient sans doute enchantés qu'elle reçoive un camouflet.

Vivement, parce qu'elle comprenait que cela n'avait pas impressionné lord Melbourne, elle ajouta :

— J'ai un meilleur argument, d'ailleurs. Je vais épouser Osric Helstone.

Lord Melbourne la dévisagea avec attention.

— L'Insaisissable? Tu en es sûre?

— Certaine.

— Cela changerait tout, évidemment. D'autre part, est-ce que Helstone t'a demandé en propres termes de devenir sa femme?

Lady Genevieve n'osa pas affronter son regard.

— Non, reconnut-elle, mais il le fera.

— Je voudrais bien, pour l'amour de toi, en avoir la certitude, dit lord Melbourne sobrement.

Il se leva tout en parlant et se dirigea vers la cheminée contre laquelle il s'appuya avec une grâce qui n'appartenait qu'à lui.

Au bout d'un moment, il reprit :

— Je te connais depuis le berceau, Genevieve. Ton père était un de mes plus chers amis et ta mère a été la bonté même envers moi à une période de ma vie ou j'étais très malheureux.

Lady Genevieve savait qu'il faisait illusion à l'époque où il avait épousé contre le gré de sa famille lady Caroline Ponsonby, la fille unique du comte de Bessborough, ravissante, excentrique et volontaire, qui avait provoqué un scandale énorme par sa passion pour lord Byron.

Elle était morte dix ans plus tôt, en 1828, et la mère de lady Genevieve avait souvent parlé de la patience, de l'indulgence et du pardon que lord Melbourne avait prodigués pendant des années à sa femme avant qu'elle perde tout contrôle d'elle-même et finisse par sombrer dans la folie.

En plus de ce malheur qui l'avait frappé, leur unique enfant — un fils nommé Auguste — s'était révélé faible d'esprit et était mort un an après sa mère.

— Mes parents t'ont toujours aimé, dit lady Genevieve. Et moi de même.

— Alors je voudrais bien que tu écoutes quelquefois les conseils que je te donne, répliqua lord Melbourne.

Elle haussa les épaules.

— La vie est courte et j'ai envie de m'amuser.

— Les femmes sont capables d'une grande cruauté envers une des leurs qui les surpasse en beauté et qui transgresse les règles de la société.

— Nous parlions d'Osric, dit vivement lady Genevieve.

— Je sais et j'espère pour toi que tu es en mesure de l'amener à résipiscence alors que tant de jolies femmes n'y ont pas réussi mais je crois, Genevieve, que tu oublies une chose.

— Laquelle? questionna-t-elle d'un ton presque agressif.

— Quand les femmes plaisent à un homme qui lui-même leur plaît, il en profite et qui l'en blâmera? Mais de celle qu'il épouse il attend plus que la satisfaction du désir.

— Que veux-tu dire?

— Je veux dire, répliqua lord Melbourne d'une voix mesurée comme s'il pesait ses mots, qu'un homme souhaite avoir une épouse pure et intacte. Je pense que tous les hommes ont au cœur un idéal auquel doit ressembler la femme qui portera leur nom.

— Pure et intacte, répéta lady Genevieve d'un ton incrédule.

Elle s'apprêtait à éclater d'un rire moqueur lorsqu'elle s'avisa que c'est ce que lord Melbourne avait recherché chez Caroline Ponsonby et qu'il aimait chez la reine.

Ce n'étaient pas les femmes qui avaient manqué dans sa vie, elle le savait, mais elle comprenait maintenant qu'il était un idéaliste pour qui la femme non encore parvenue à la maturité, jeune, candide, enfantine, a une sorte de spiritualité.

Ravalant les mots qui lui montaient aux lèvres, lady Genevieve commenta :

— Tu t'y prends un peu tard si tu t'attends à ce que je sois comme je l'étais à dix-sept ans quand j'ai fait mes débuts dans le monde.

— C'est vrai, convint lord Melbourne, et Helstone trouve probablement très séduisants ton audace, ton mépris des convenances, le feu qui brûle dans tes yeux. Mais es-tu sûre que c'est ce qu'il désire trouver chez sa femme?

— Il m'épousera, dit lady Genevieve avec entêtement.

Lord Melbourne poussa un petit soupir.

— Dans ce cas, je n'ai plus rien à ajouter. Mon sermon est fini, ma chère.

Il s'était exprimé d'un ton charmant et lady Genevieve, s'étant levée, s'approcha de lui et posa les mains sur ses épaules.

— Si Osric m'épouse, cousin William, je ferai mon possible pour me ranger et me conduire avec plus de prudence. Une fois mariée avec lui, on ne pourra pas me bannir de la Cour.

— Non, si tu te conduis comme il faut, admit lord Melbourne.

— Je m'y appliquerai, promit lady Genevieve. Et maintenant m'obtiendras-tu une invitation pour le Couronnement?

— Impossible. A moins, bien sûr, que tes fiançailles avec le comte soient annoncées avant le 28 juin.

Lady Genevieve serra les lèvres.

— Dernier délai, hein? Eh bien, ce ne sera fichtrement pas ma faute si je n'y arrive pas, tu peux m'en croire!

— Et tâche de surveiller ton langage, recommanda lord Melbourne. La reine, comme la plupart des jeunes filles, est extrêmement choquée quand on profère des gros mots en sa présence.

— Comment peux-tu le supporter, cousin William? s'écria lady Genevieve. Toi surtout!

Lord Melbourne réfléchit avant de répondre.

— Je pense maintenant que tout ce que j'ai appris au cours de ma vie, toute l'expérience que j'ai emmagasinée et tout ce que j'ai souffert, tout cela était destiné à être utilisé pour former une jeune femme qui sera une grande reine, j'en suis convaincu.

— Tu le crois, vraiment?

— Oui, dit-il avec simplicité. Et qui plus est elle croit en moi.

Lady Genevieve resta silencieuse.

Elle se rappelait ce que quelqu'un lui avait rapporté : la souveraine disait de lord Melbourne qu'il était « l'homme le plus généreux, bienveillant et sensible du monde ».

Quand il l'eut quittée après avoir pris congé d'elle en l'embrassant tendrement, lady Genevieve saisit un bibelot posé sur une table dans le hall et le jeta à terre où il se brisa en mille morceaux.

Puis elle maudit à haute voix en termes violents la société mondaine, les vieilles commères indiscrètes qui en faisaient partie et ceux qui avaient colporté aux oreilles de la reine les ragots concernant ses escapades.

Les valets l'écoutaient avec des figures blêmes et des yeux ronds de frayeur, tandis que les cméristes qui observaient la scène par l'entrebâillement de la porte de la chambre en haut de l'escalier gloussaient entre elles.

Jurant toujours, lady Genevieve remonta dans sa chambre où elle continua à passer sa colère en giflant la plus jeune de ses domestiques et en frappant l'autre à coups de brosse jusqu'à ce qu'elle fonde en larmes.

Elle était souriante cependant, et d'une beauté enchanteresse, quand on l'informa une demi-heure plus tard que le comte de Helstone lui rendait visite.

Elle entra dans le salon vêtue d'une robe neuve en mousseline brodée, parsemée de nœuds de velours, et portant sur le bras un châle en soie de Naples bordé de dentelle. A la main elle tenait un cabriolet surmonté de plumes de coq et tout orné de ruchés de dentelle.

Très élégant dans sa jaquette à larges revers, ses traits énergiques mis en relief par le haut col d'une blancheur de neige, lord Helstone se tenait à la place occupée auparavant par lord Melbourne, devant la cheminée.

En le voyant, lady Genevieve s'avisa pour la première fois que les deux hommes avaient quelque chose en commun.

L'air calme et sûr de soi.

Lady Genevieve avait entendu qualifier cet air d'« insouciance », mais elle se dit que cela traduisait leur manière d'affronter la vie, en hommes toujours maîtres de la situation, jamais déconcertés par quoi que ce soit, si dramatiques que puissent être les événements.

Lady Genevieve referma la porte derrière elle et resta immobile à regarder lord Helstone à l'autre bout de la pièce.

Elle savait qu'il apprécierait l'élégance de sa robe, son port de tête digne d'une statue grecque et la façon dont le soleil allumait des reflets bleu sombre et violets dans sa belle chevelure.

— Je mourais d'impatience de te voir, Osric! dit-elle finalement de sa voix la plus séduisante.

— Je désire te parler, Genevieve.

Lady Genevieve s'avança.

— Les paroles ont-elles tant d'importance? demanda-t-elle quand elle fut près de lui — et elle leva son visage.

Le regard qu'il posa sur elle était dur.

— Assieds-toi, Genevieve. Il y a des choses dont nous devons discuter.

Il eut l'impression qu'elle se troublait un peu,

51

mais elle haussa légèrement les épaules, esquissa une moue et s'installa avec grâce sur le sofa.

— J'attends, dit-elle au bout d'un moment.

Il y avait une note de défi dans sa voix.

— La dernière fois que je t'ai vue, tu m'as annoncé que tu attendais un enfant de moi.

Lady Genevieve sourit.

— C'est vrai. J'ai pensé que tu en serais content... un héritier pour perpétuer ton nom. N'est-ce pas ce que veulent tous les hommes?

— Dans certaines conditions, en effet, mais je désire être sûr que l'enfant est de moi, naturellement.

Lady Genevieve ouvrit de grands yeux.

— Osric, comment peux-tu en douter? Tu sais bien qu'il n'y a que toi dans ma vie depuis que nous nous aimons. Tu es tout pour moi, tout! Comment peux-tu imaginer que j'irais même regarder un autre homme?

— Reste un détail primordial.

— Lequel?

— Je tiens à avoir l'absolue certitude que tu es réellement enceinte.

— Quelle question! Bien sûr, cela ne date pas de longtemps, mais les femmes savent toujours ce qu'il en est et je suis sûre, absolument sûre, que je te donnerai un fils.

Sa voix se fit très basse et douce pour demander :

— Quand pouvons-nous nous marier? Je ne voudrais pas trop tarder.

— Tu as raison, c'est très important, répliqua-t-il. Par conséquent, si tu veux bien mettre ton chapeau, je suggère que nous allions rendre visite tout de suite à Sir James Clark.

— Sir James Clark? Qui est-ce?

— Le médecin de la reine et un gynécologue réputé.

Il y eut un instant de silence, puis lady Genevieve déclara :

— Il est trop tôt pour prendre ce genre de dispositions. Je ne juge pas utile de déranger ce médecin à présent. Je me sens bien... en fait, je ne me suis jamais sentie mieux!

— Mon intention est de demander à Sir James Clark si tu es réellement enceinte, expliqua le comte. Auquel cas j'envisagerai de me marier avec toi.

Lady Genevieve plongea son regard dans le sien.

— Je ne vois aucune raison de me soumettre à une humiliation pareille, répliqua-t-elle d'un ton de défi.

— Pourquoi ne pas être franche? Tu sais parfaitement qu'il n'y a pas d'enfant et que tu n'as aucune chance d'en avoir.

Elle ne répondit rien, mais il devinait les questions qu'elle se posait : devait-elle mentir, s'emporter contre lui ou confirmer ce qu'il venait de dire? Avant qu'elle ait eu le temps d'ouvrir la bouche, il poursuivit :

— Le hasard veut que je sache qu'il t'est impossible d'avoir des enfants. Tu as essayé de donner un héritier à Rodney et tu n'as pas pu.

— Qui t'a raconté ça? commença lady Genevieve avec rage. (Puis elle s'exclama :) Ah, je sais... Willoughby Yaxley! Il doit avoir prêté l'oreille à sa peste de sœur. Une sournoise et une envieuse que j'ai toujours détestée, cette Louise!

— N'empêche qu'elle disait la vérité!

— Eh bien, d'accord... je n'attends pas d'enfant pour le moment, reprit lady Genevieve d'une voix coléreuse, mais rien ne prouve que je n'en aurai jamais.

Le comte de Helstone sortit une enveloppe de la poche intérieure de sa jaquette et la déposa sur la cheminée.

— Qu'est-ce que c'est? questionna-t-elle d'un ton un peu inquiet.

— Un chèque pour une somme qui couvrira certainement tes dépenses jusqu'à ce jour. Adieu, Genevieve.

— Adieu? répéta-t-elle, et sa voix monta d'un ton. Est-ce que tu romps avec moi? Tu ne peux pas faire ça!

— S'il y a une chose que je déteste, c'est bien qu'on me mente et qu'on me dupe, répliqua-t-il froidement. Je regrette seulement que nos relations s'achèvent sur une note aussi déplaisante. Je n'y suis pour rien.

— Tu ne parles pas sérieusement! s'exclama lady Genevieve.

Elle abandonna le sofa pour aller vers lui.

— Je t'aime, Osric, tu le sais. Si j'ai menti, si j'ai tenté de t'obliger au mariage, c'est seulement parce que je t'aime.

— Et tu crois vraiment qu'un mensonge de ce genre serait un bon départ pour notre vie commune? riposta-t-il. (Il rit, mais son rire était dépourvu de gaieté.) Tu n'as fait que me confirmer dans ma résolution de rester célibataire et ma conviction que le bonheur de la vie conjugale n'est pas pour moi.

Lady Genevieve voulut se suspendre à son cou, mais il la saisit par les poignets et se dégagea.

— Il n'y a rien de plus à dire! conclut-il en se dirigeant vers la porte.

Elle s'élança comme une folle à sa suite.

— Je t'en supplie, Osric, écoute-moi! Je vais t'expliquer. Je vais te dire pourquoi je t'ai annoncé cela. Il faut que tu essaies de comprendre...

— Je comprends parfaitement, répliqua lord Helstone d'une voix dure.

Il ouvrit la porte, sortit et descendit l'escalier.

— Osric, reste! Discutons-en... je t'en prie...

Lady Genevieve s'était penchée par-dessus la rampe et son dernier mot résonna comme un cri, tandis que le valet de pied tendait au comte son chapeau et sa canne puis lui ouvrait la porte.

Osric Helstone ne se retourna pas. Il se coiffa de son haut-de-forme et passa dans la rue.

Lady Genevieve regarda fixement la porte close.

Pour une fois, elle n'avait même pas la force de jurer, même pas la force d'exprimer ses sentiments d'une manière ou d'une autre.

De retour chez lui, le comte de Helstone s'avisa qu'il se sentait libre comme l'air et que jamais encore il n'avait éprouvé un tel soulagement d'avoir les coudées franches quand une de ses affaires de cœur prenait fin.

C'est toujours difficile de dire adieu, de trancher d'un seul coup ce qui a été des relations intimes au lieu de les laisser se dénouer d'elles-mêmes lorsque chacun des partenaires cesse d'être épris de l'autre.

Lord Helstone savait être très brutal quand cela lui convenait et il ne faisait jamais de sentiment dans ses liaisons, mais il avait surtout horreur des récriminations dont les femmes sont si souvent prodigues à l'heure de la rupture.

Il se disait à présent qu'il avait commencé sans s'en apercevoir à se lasser de lady Genevieve bien avant que ses manœuvres pour l'obliger au mariage ne l'aient exaspéré et écœuré.

Elle lui plaisait, c'est vrai, mais une fois satisfaite la flambée sensuelle qu'elle allumait en lui, rien ne lui restait plus qu'un sentiment de désillusion et d'insatisfaction.

Une fois de plus, il se dit que la beauté ne suffit pas.

Imaginer plus ravissante que lady Genevieve était difficile, mais Osric Helstone avait senti qu'il y avait en elle quelque chose de déplaisant et satisfaire ses goûts dispendieux avait été beaucoup plus coûteux que pour aucune autre femme avec qui il avait été lié auparavant.

Il estimait s'être conduit mieux que correctement. Le chèque très généreux qu'il avait laissé sur la cheminée de lady Genevieve lui permettrait de vivre confortablement jusqu'à ce qu'elle trouve un autre protecteur pour payer ses factures.

Il constata avec une certaine surprise qu'il n'éprouvait aucun remords en ce qui concernait lady Genevieve.

Quelquefois, quand il laissait une femme en larmes, il regrettait d'avoir capturé son cœur au point qu'elle souffrirait longtemps après leur rupture.

Par contre, si Genevieve en avait un, son cœur ne devait pas être engagé très à fond dans leur aventure, il en était absolument certain.

Il savait depuis toujours que la situation sociale et la fortune entrent obligatoirement en compte dans l'opinion qu'on se fait de quelqu'un.

Dans son adolescence, il s'était imaginé qu'il finirait par trouver une femme qui l'aimerait uniquement pour lui-même, à qui peu importerait qu'il soit héritier d'un titre de comte et d'une énorme fortune ou dépendant entièrement des seules ressources de son intelligence pour vivre.

Mais il avait vite compris que cet oiseau rare n'existait pas.

Une ou deux fois, il avait pensé que c'était bien

pour lui-même que deux beaux yeux s'étaient émus et adoucis, que deux lèvres rouges avaient cherché les siennes.

Les femmes tombaient amoureuses de lui, indubitablement, et l'aimaient avec passion, mais jamais il n'avait la certitude que c'était uniquement pour lui-même, si beau et séduisant qu'il fût.

« Oh! Osric, je t'aime! »

« Je t'aime, je t'aime! »

Combien de fois n'avait-il pas entendu chuchoter ces mots dans l'obscurité quand une femme reposait dans ses bras! Il avait voulu croire qu'elle les disait parce qu'il était l'amant de ses rêves.

Et pourtant invariablement au lever du jour il y avait eu une allusion légère, en général amenée avec beaucoup de tact, aux bijoux si seyants ou à la facture encore impayée pour la délicieuse robe qu'il avait admirée.

« Je dois jouer de malheur, avait parfois songé Osric Helstone, ou bien je ne fréquente pas la société qui me convient. »

Puis il avait ri de lui-même et pensé que peut-être sa mère l'avait bercé de trop de contes de fées quand il était petit et qu'il avait été marqué par l'histoire de la gardeuse d'oies qui épouse le Prince Charmant ou de la pauvresse qui tombe amoureuse du valet sans se douter que c'est un prince déguisé.

« Je suis ce que je suis, s'était-il admonesté, et il faut m'attendre à ce que les femmes en tiennent compte. »

Et pourtant dans Helstone House, entouré de ses biens, il fut déprimé à l'idée que toutes les femmes ressemblaient à Genevieve.

— Des menteuses et des tricheuses! s'exclama-t-il, puis il prit conscience de la présence de Mr Grotham.

— Vous parliez, mylord?

— A moi-même.

Mr Grotham lui tendit la liste de ses rendez-vous pour les deux jours suivants.

Il y jeta un coup d'œil et dit d'un ton sans réplique :

— Annulez. J'ai l'intention de me rendre à la campagne.

— A la campagne, mylord?

— Oui, il y a des choses à régler et pour le moment j'en ai assez de Londres.

— Très bien. Avez-vous besoin de votre phaéton pour le voyage? Je vais envoyer une estafette immédiatement là-bas pour que tout soit prêt à votre arrivée.

— Je partirai dans une demi-heure.

Mr Grotham sortit vivement de la pièce.

Lord Helstone dut s'avouer à son arrivée que le château familial, tout imprégné qu'il fût du souvenir de ses ancêtres, paraissait bien vide et anormalement silencieux.

Il ne put s'empêcher de penser que cette demeure était faite pour être habitée par une famille nombreuse, avec non seulement des enfants mais aussi ceux qui s'en occupent — nourrices, gouvernantes, précepteurs et professeurs de toutes sortes — et il se dit encore que le moment était venu de donner des réceptions en l'honneur de ses voisins et d'assumer les multiples charges qui avaient occupé le temps de son père.

Ce soir-là après le dîner, il sortit sur la terrasse. La nuit était chaude et les dernières lueurs du couchant flamboyaient derrière les chênes séculaires.

C'était si beau que lord Helstone éprouva soudain

le désir de partager cet instant avec quelqu'un. Il songea à Genevieve mais comprit qu'il n'aurait jamais voulu vivre avec cette femme passionnée et insatiable dans la maison où sa mère avait régné avec tant de rigueur.

Il se rappela alors ce que Charles Greville lui avait communiqué comme étant un exemple « fidèle » des conversations à la Cour. Greville était secrétaire du Conseil privé et célèbre par le « journal » qu'il tenait.

La Reine : — Vous vous êtes promené à cheval aujourd'hui, Mr Greville?

Charles Greville : — Non, Votre Majesté.

La Reine : — Il fait beau temps.

Charles Greville : — Oui, Votre Majesté, très beau temps.

La Reine : — Mais assez froid.

Charles Greville : — Il a fait assez froid, en effet.

La Reine : — Votre sœur, lady Francis Egerton, monte à cheval, je crois, n'est-ce pas?

Charles Greville : — Elle monte quelquefois, Votre Majesté.

Lord Helstone avait lu et ri, mais à présent il se dit : « Ce serait intolérable! Je ne pourrais pas supporter des banalités aussi insipides. »

Après deux ou trois jours de courses à cheval de ferme en ferme pour rendre visite à ses métayers, discuter améliorations avec son régisseur et donner de l'exercice à ses chevaux, le comte de Helstone rentra à Londres.

— Où diable étais-tu donc, Osric? questionna lord Yaxley qui était passé prendre de ses nouvelles et l'avait trouvé de retour à Helstone House.

— On avait besoin de moi à la campagne.

— Bonté divine! A cette époque de l'année? Tu as

manqué le bal des Richmond auquel la reine a assisté et il y a eu plusieurs dîners amusants où l'on a déploré ton absence.

— Je suis ravi qu'on se soit aperçu que je n'étais pas là.

— Naturellement, quand la nouvelle a été connue, tout le monde a pensé que tu souffrais d'un chagrin d'amour, commenta lord Yaxley.

— Quelle nouvelle?

— Tu ne sais pas?

— Que devrais-je savoir?

— Genevieve a annoncé ses fiançailles avec lord Bowden.

Tout en parlant, lord Yaxley ne quittait pas des yeux son ami, mais il ne déchiffra rien sur son visage.

— Tu es étonné? demanda-t-il au bout d'un instant.

— Non, je savais que Bowden la courtisait depuis plus d'un an.

— Il a au moins la soixantaine! s'exclama lord Yaxley. Et c'est un des pires raseurs que j'aie jamais eu la malchance de rencontrer.

Lord Helstone pensait de même mais il ne le dit pas.

Il songea à diverses explications mais ne s'avisa pas du véritable motif de ces fiançailles : le fait que lady Genevieve tenait absolument à assister au Couronnement.

Trois jours plus tard, lord Yaxley était en route pour Epsom dans la voiture que son ami conduisait avec sa maîtrise exceptionnelle.

Lorsqu'ils furent sortis des encombrements, celui-ci demanda :

— Parle-moi de notre hôtesse, lady Chevington. Je la connais fort peu, bien que nous ayons passé deux nuits chez elle, à Chevington Court, l'an passé si tu te rappelles.

— Je m'en souviens bien. C'était le Derby le plus lamentable que j'aie jamais connu... sur le plan financier, j'entends.

— Moi, j'ai gagné de l'argent, répliqua lord Helstone. Si seulement tu voulais suivre mes conseils, Willoughby, tu aurais plus de succès aux courses.

— Je le sais bien mais, à la vérité, Osric, je me laisse entraîner par l'enthousiasme de mes autres amis qui sont toujours absolument sûrs que leurs chevaux vont arriver comme dans un fauteuil et battre les tiens. Leur cote étant invariablement beaucoup plus forte, je suis tenté!

— Alors, pour cette saison, écoute-moi! dit lord Helstone en souriant.

— Je le ferai. Que voulais-tu que je te raconte sur lady Chevington?

— Parle-moi d'elle.

— Eh bien, tu sais probablement que son mari, Sir Hugo, qui est mort il y a quelques années, était l'être le plus charmant et le plus aimé de tous les habitués de White. Mon père disait toujours que s'il avait dû désigner la personne la plus aimable, la plus affectueuse et la plus sympathique de sa connaissance, il aurait nommé sans hésiter Hugo Chevington.

— Il était beaucoup plus vieux que moi, bien sûr, mais je me souviens de lui.

— Il était déjà avancé en âge quand il s'est marié, reprit lord Yaxley. Il était tombé amoureux de la femme de Sir Joseph Harkney, un homme d'affaires à la fortune colossale, et il n'a jamais levé les yeux sur aucune autre.

— Un homme d'affaires? répéta sèchement lord Helstone d'un ton interrogateur.

— Harkney était dans les affaires maritimes, je crois, ce qui est plus respectable et certainement plus acceptable que de travailler dans la Cité, mais ce n'était pas *la crème des crèmes* (1), si tu vois ce que je veux dire.

— Je vois très bien.

— Bref, Eleanor Harkney devait être une beauté sans pareille. Elle est restée très bien.

— Oui, c'est aussi mon avis.

— Elle est également intelligente au plus haut point et très ambitieuse.

Lord Helstone ne dit rien et son ami poursuivit :

— Elle a su, en tout cas, utiliser son argent avec un rare talent après la mort de Harkney et son remariage avec Sir Hugo. Elle avait pris à tâche de faire oublier ce qu'elle avait été et d'où elle sortait. Du moins est-ce ce que mon père disait toujours.

— Et elle y a manifestement réussi à la perfection! commenta lord Helstone en se rappelant les personnalités qu'il avait rencontrées la dernière fois qu'il avait séjourné à Chevington Court.

— Sir Hugo, le pauvre vieux, n'avait jamais eu beaucoup d'argent, reprit lord Yaxley, mais il adorait les courses et lady Chevington a acheté cet énorme manoir d'Epsom à un gentilhomme qui n'avait plus les moyens de l'entretenir.

» Avec Sir Hugo comme hôte, personne, à commencer par les membres de la famille royale, n'aurait refusé d'être reçu dans cette demeure dont l'aménagement est des plus luxueux.

Lord Yaxley se tut.

— Continue, l'encouragea son ami. Tu racontes

(1) En français dans le texte.

bien, Willoughby, je vois très bien ce qui s'est passé.

— Un grand hôtel particulier à Londres et un château en Ecosse avec un excellent terrain de chasse à la grouse ont complété ses moyens d'action. A la mort de Sir Hugo, lady Chevington a consolidé sa position dans la haute société en ayant d'abord un duc puis un marquis comme gendre.

— Les filles de lady Chevington sont-elles jolies?

— Jolies et riches.

— Frampton et Northaw n'ont donc pas été amenés au mariage par une contrainte quelconque?

Lord Yaxley réfléchit.

— Je ne le pense pas. En ce qui me concerne, si j'étais femme, je ne voudrais pas d'un mari comme Frampton et j'ai l'impression que Northaw a une case de vide. Mais on ne sait jamais ce qui peut plaire aux femmes. Je me demande qui sera là-bas, poursuivit-il. La réunion sera sûrement divertissante. Lady Chevington a la sagesse de mélanger avec adresse ses invités. Quand on n'accueille rien que des hommes politiques ou rien que des joueurs ou rien que des mondains stupides, ils ne tardent pas à s'ennuyer mutuellement! C'est la diversité qui confère son attrait aux réunions, à mon avis.

— Et dans quelle catégorie crois-tu que nous entrons?

Lord Yaxley rit.

— Moi dans celle des mondains stupides, sans aucun doute, mais toi, Osric, tu es dans une classe à part, comme tes chevaux! Est-ce que Delos va gagner le Derby?

— Si j'étais toi, je parierais un peu d'argent sur lui.

— Alors il va gagner! s'exclama lord Yaxley.

— Nous irons le voir de bonne heure demain matin.

— Arkrie est persuadé que son cheval a des chances, à ce qu'on m'a dit. Si tu le coiffes de nouveau au poteau, il tombera raide!

— Ce serait vraiment très regrettable, commenta lord Helstone d'un ton sarcastique.

Mais il souriait en continuant à conduire.

3

Tout témoignait d'une ample fortune à Chevington Court, le comte s'en fit la réflexion.

La demeure elle-même, très massive, n'avait rien de particulièrement séduisant. Elle avait été agrandie à diverses reprises au cours de son histoire mais, au contraire de beaucoup de vieilles demeures qui forment un tout harmonieux, elle avait l'air bâtie de bric et de broc.

Cependant, le corps de logis principal qui ne datait que d'une centaine d'années avait des pièces immenses, de hauts plafonds et de magnifiques cheminées.

En entrant dans le hall ovale, il se dit qu'il n'avait jamais vu pareille armée de domestiques, revêtus d'une livrée aussi spectaculaire de couleur bordeaux avec une profusion de galons dorés.

Il s'avisa qu'il se montrait plus observateur et peut-être plus prompt à la critique que lors de sa visite précédente uniquement à cause de l'extraordinaire mise en garde de Calista.

Quand lady Chevington traversa le salon d'un pas léger pour venir à sa rencontre, ce que lord Yaxley lui avait dit d'elle lui revint en mémoire.

Elle avait été très belle, c'est évident, et elle était encore remarquablement bien de sa personne.

A chaque homme à qui elle s'adressait, elle avait l'art de donner l'impression qu'il était le seul avec qui elle désirait s'entretenir. Et l'on ne pouvait douter qu'elle s'attachait à assurer le confort de ses invités.

Rien n'avait été oublié ou négligé de ce qui pouvait donner à ses visiteurs la sensation qu'ils étaient des personnages considérés et choyés, songea lord Helstone plus tard dans la soirée.

Chaque gentilhomme invité se voyait offrir à son réveil tous les journaux parus à Londres. Ils étaient apportés par un relais de chevaux rapides dont le premier quittait la capitale à l'aube.

Un choix de trois fleurs pour mettre à la boutonnière attendait sur la table de toilette de chacun avant qu'il descende dîner.

Et pour les dames il y avait des bouquets savants et très beaux qu'elles pouvaient épingler à leur grand décolleté ou tenir à la main.

Osric Helstone avait amené avec lui son valet de chambre. Néanmoins un autre valet avait été affecté à son service et il savait que dans nulle autre demeure ses chevaux ou ses palefreniers ne seraient aussi bien traités.

Il constata avec intérêt que les invités étaient extrêmement distingués.

Le premier qu'il aperçut était le Dictateur du Turf, lord George Cavendish Bentinck. Les Dictateurs avaient un rôle très important à jouer comme arbitres pour trancher sans appel dans les cas litigieux et veiller à ce que les règles du Jockey Club soient suivies avec la plus stricte exactitude.

Lord George Bentinck était un ancien d'Eton et des cavaliers de la Maison du Roi, un bel homme avec qui le comte de Helstone avait beaucoup de points communs.

Il était sensible, hautain, aimable encore que dominateur, capable, infatigable, loyal comme ami mais vindicatif à l'extrême comme ennemi.

Au contraire d'Osric Helstone, toutefois, il était joueur et avait perdu vingt-sept mille livres sterling quand le cheval Tarrare, appartenant à lord Scarborough, avait gagné le St. Leger en 1826.

Néanmoins il se révéla si grand connaisseur en matière de chevaux qu'un an plus tard son frère se porta garant pour lui de trois cent mille livres quand il voulut monter une écurie de courses.

Lord Helstone fut enchanté également de voir que le ministre des Affaires étrangères, lord Palmerston, figurait parmi les invités.

Lord Palmerston était beaucoup plus âgé que lui, mais il avait un caractère jeune qui lui permettait de se lier à des gens d'âge et de caractère différents.

Il avait le gros rire d'un Whig(1) sûr de lui, un tempérament robuste et un goût marqué pour les gilets fantaisie et les aventures galantes.

Il se montrait toujours entreprenant et audacieux avec les femmes et c'était évident pour tous que la reine devait heureusement ignorer les escapades nocturnes de son ministre au château de Windsor.

Plusieurs autres députés importants figuraient parmi les invités qui comptaient, et en plus comme il fallait s'y attendre bon nombre des gentilshommes les plus en vue dans le monde des courses.

Un rapide coup d'œil aux autres invités fit comprendre à lord Helstone qu'il aurait un séjour agréable et il en reçut une confirmation supplémentaire quand il reconnut dans la compagnie beaucoup de

_____

(1) *Whig* : membre du Parti libéral.

femmes mariées ravissantes et aimables, dont quelques-unes avaient déjà flirté avec lui.

Il y avait très peu de jeunes gens, en dehors des deux filles de lady Chevington, la duchesse de Frampton et la marquise de Northaw avec leurs maris, et naturellement Calista.

Elle n'était pas là quand le comte de Helstone et lord Yaxley arrivèrent, mais elle se trouvait dans le salon au moment où le premier descendit pour dîner.

Il avait grand air dans sa tenue de soirée dont la coupe parfaite mettait en valeur sa silhouette athlétique et toutes les femmes présentes l'admirèrent quand il se dirigea vers son hôtesse.

Elle le présenta à plusieurs personnes qu'il ne connaissait pas, puis ajouta d'une voix où il crut discerner une intonation particulière :

— Vous ne connaissez pas non plus ma fille Calista, je crois?

Calista fit la révérence, et il s'inclina.

Il ne s'était pas trompé, pensa-t-il, en jugeant Calista très jolie quand il l'avait rencontrée la première fois.

Elle portait une élégante robe blanc et argent, avec juste assez de simplicité pour convenir à une jeune fille faisant ses débuts dans le monde mais aussi avec ce chic que seule la fortune permet d'obtenir.

Ses cheveux, coiffés en longues boucles de chaque côté de son petit visage, scintillaient avec des reflets de flamme à la lumière des lustres, mais Osric Helstone vit dans ses yeux gris-vert une expression de mépris quand elle le regarda.

Elle s'éloigna sans un mot, mais il s'attendait à être placé à côté d'elle au dîner.

A sa surprise, Calista était de l'autre côté de la

table et il se retrouva en l'amusante et spirituelle compagnie de l'épouse d'un vieux pair du royaume qui avait retenu son attention deux ans auparavant pour un bref interlude passionné.

La chère, comme il aurait pu s'en douter, était d'une excellence insurpassable. Un domestique veillait derrière chaque convive et le plus raffiné des connaisseurs n'aurait pas trouvé grand-chose à redire aux vins.

Le repas terminé, les hommes s'attardèrent longtemps dans la salle à manger pour déguster leur porto et quand ils rejoignirent finalement les dames au salon, Osric Helstone constata que Calista n'était pas présente.

« Cette histoire de projet de mariage qu'elle prête à sa mère n'est qu'un produit de son imagination d'adolescente », se dit-il en s'asseyant à la table de jeu. Et il n'y pensa plus.

Comme de nombreuses courses devaient avoir lieu le lendemain, les dames se retirèrent de bonne heure, mais Osric Helstone resta jusqu'après minuit à discuter chevaux et vainqueurs probables.

Finalement, presque à regret parce que la conversation l'intéressait beaucoup, il monta à sa chambre et, après avoir échangé quelques mots avec lord Yaxley, en ferma la porte.

Il n'aimait pas obliger un domestique à veiller pour l'attendre, ce qui était une originalité car la coutume voulait qu'un gentilhomme de son rang ait un ou mieux même deux valets pour l'aider à se dévêtir et à mettre son vêtement de nuit, puis pour éteindre les lumières une fois qu'il était au lit.

Il trouvait cela agaçant.

— J'ai toujours veillé pour prendre soin de votre père, m'lord, avait protesté son maître valet.

— Mon père était un vieillard et il avait sans aucun doute besoin de votre aide, Travis. Cela m'est désagréable de penser que quand je me couche tard vous êtes obligé de vous coucher plus tard encore.

— Cela fait partie de mes attributions, m'lord.

— C'est à moi d'en décider. Quand je voudrai que vous m'attendiez, je vous avertirai... ou je sonnerai. Dans le cas contraire, laissez tout prêt et je me débrouillerai seul.

Il savait que ses domestiques étaient scandalisés par son indépendance, estimant qu'ils perdaient la face devant les autres membres du personnel. Ils craignaient d'être accusés de ne pas prendre soin de leur maître comme ils le devaient s'ils le laissaient à lui-même.

Mais il demeura intraitable.

Quelquefois, lorsqu'il regagnait sa chambre, il restait assis à lire avant de se déshabiller et il savait qu'avoir un valet patientant derrière lui l'agacerait inutilement.

A présent, en traversant sa chambre, il la trouva très belle.

Il n'avait pas été installé dans le corps de logis principal de Chevington Court mais dans ce qu'on appelait « l'aile élizabéthaine » qui avait un charme particulier.

Elle avait formé à l'origine la partie principale de la demeure. Au-dehors, les murs étaient de briques rouges adoucies par le temps, avec des fenêtres à gâble.

A l'intérieur, les plafonds étaient bas, les lits à colonnes étaient en chêne et bon nombre des parois étaient revêtues de lambris dont le bois avait pris avec les années une magnifique teinte brun cendré.

Il faisait très chaud dans la pièce et lord Helstone alla tirer les rideaux et ouvrit une des croisées aux vitres en losange.

C'est alors qu'il entendit un léger sifflement.

Le même qu'avait émis Calista quand elle avait donné ses ordres à Centaure — et Osric Helstone se pencha au-dehors pour regarder dans le jardin.

La nuit était claire, les étoiles scintillaient dans le noir velouté du ciel et la demi-lune laissait tomber sa clarté argentée sur le lac au pied de la maison et donnait aux jardins une beauté irréelle qu'il n'avait pas remarquée dans la journée.

Il distinguait très nettement la pelouse au-dessous de sa fenêtre et il n'y vit personne.

Le sifflement reprit et il se rendit compte alors que le son provenait d'un énorme magnolia dont les fleurs cireuses et blanches étaient tout près de sa fenêtre.

Il l'examina et, au centre des branches, perchée si haut dans l'arbre qu'elle se trouvait presque à son niveau, il aperçut Calista!

— Je veux vous parler.

Il la comprenait à peine tant la phrase était prononcée bas. Il se pencha davantage pour demander :

— A quel sujet?

— Vous. Je vous avais dit de ne pas venir ici.

— Discuter dans ces conditions n'a rien de commode. Je ferais peut-être mieux de vous rejoindre.

— Vous n'y arriveriez pas, répliqua-t-elle d'un ton caustique. Il est plus facile d'aller de l'arbre dans la maison que de faire le contraire.

Lord Helstone examina le magnolia. L'arbre était très vieux mais ses branches paraissaient solides et il se dit qu'elles supporteraient son poids.

Sa chambre se trouvait au premier étage et la distance jusqu'au sol n'était pas énorme.

A peine avait-il escaladé le rebord de la fenêtre qu'il entendit Calista dire précipitamment :

— N'essayez pas, c'est plus prudent. Je ne voudrais pas que vous vous blessiez en tombant et que j'en sois responsable.

— Je ne suis pas tout à fait décrépit, riposta-t-il avec aigreur.

Il était un peu vexé que cette jeune fille le croie incapable de descendre d'un arbre.

Contourner la fenêtre pour atteindre la branche la plus proche se révéla très difficile, à la vérité, mais il était beaucoup plus agile que la plupart de ses amis.

La pratique de l'escrime, de la boxe et de l'équitation le maintenait en excellente forme et une fois qu'il eut atteint le tronc du magnolia il n'eut aucun mal à descendre jusqu'au sol.

Cela n'améliora évidemment pas l'aspect de sa tenue de soirée mais, cela mis à part, il posa le pied à terre sans encombre. Calista était descendue la première.

Il s'essuyait soigneusement les mains quand elle déclara :

— Puisque vous voilà ici, autant ne pas rester en vue des fenêtres, bien que ma mère couche de l'autre côté de la maison.

Aussitôt dit, elle s'enfonça dans un épais bosquet de rhododendrons qui bordait la pelouse. Il découvrit au milieu un étroit sentier sinueux.

En suivant la jeune fille, il fut presque choqué de voir qu'elle portait une de ces culottes collantes en jersey si en vogue parmi les arbitres de l'élégance sous le règne de George IV.

Par-dessus, elle avait endossé ce que lord Helstone devina être une veste de jockey. Cette veste était de la même couleur que la livrée des domestiques, mais le col et les manchettes étaient jaune paille.

Il se rappela que c'étaient les couleurs de l'écurie Chevington.

Ils avancèrent sans rien dire entre les rhododendrons et débouchèrent soudain au bord du lac.

Il y avait là un banc presque dissimulé sous un grand arceau de chèvrefeuille. Calista s'y assit et il se rendit compte que l'on ne pouvait absolument pas les voir sauf si on se trouvait juste devant eux.

Le lac était un miroir d'argent enchanteur. Sur son autre rive s'étendait le parc boisé avec des groupes de cerfs sous les arbres.

La lune éclairait assez pour distinguer aisément le visage de la jeune fille et lord Helstone dit avec un léger sourire en la regardant :

— Le fait que nous sommes ici seuls ensemble, n'est-il pas déjà un peu compromettant? Ne serait-ce pas faire le jeu de votre mère?

— Maman a pris ses gouttes de laudanum comme d'habitude et ne saura absolument pas ce que nous faisons maintenant.

— Que vouliez-vous me dire?

— D'être très prudent. Je vous avais conseillé de ne pas venir ici et vous ne m'avez pas écoutée, alors pour l'amour du Ciel restez sur vos gardes.

— J'ai abouti à la conclusion que vous vous êtes monté la tête, répliqua-t-il. Je ne doute pas que votre mère soit prête à m'accepter comme gendre, mais je ne peux pas croire qu'elle fasse quoi que ce soit d'extraordinaire pour que cela se produise.

Calista eut un rire bref.

— Comment pensez-vous qu'Ambrosine a décroché un mari aussi distingué?

Sa voix avait un accent sarcastique et lord Helstone ne répondit rien. Le duc, il s'en souvenait, avait bu si généreusement au dîner qu'on avait dû l'aider à quitter la salle à manger.

— Je vais vous l'expliquer, reprit Calista comme il demeurait silencieux. Mon beau-frère est un ivrogne, vous l'avez probablement remarqué. (Le mot fut lancé avec dureté. Elle poursuivit.) Un soir qu'il séjournait ici, maman a fait en sorte qu'il boive encore plus que d'ordinaire. Les domestiques ont même dû le monter dans sa chambre. Le lendemain matin, quand il est descendu, maman l'a accueilli avec un cri de joie et l'a embrassé sur les deux joues.

« Mon cher enfant, a-t-elle dit, vous n'imaginez pas combien vous me rendez heureuse! »

— Le duc avait l'air abasourdi, continua Calista, et maman a déclaré d'un ton malicieux : « C'était très mal de ne pas avoir sollicité mon autorisation avant de parler à Ambrosine, mais puisque votre offre de mariage la ravit tellement, je vous pardonne. »

— Qu'a répondu le duc?

— Que pouvait-il répondre? Maman était bien trop avisée pour lui parler en tête à tête. Ambrosine se trouvait dans la pièce avec une douzaine d'autres personnes que nous avions invitées. Manifestement, il était incapable de rien se rappeler de ce qui s'était passé la veille au soir, alors j'imagine qu'il se demandera jusqu'à la fin de ses jours si oui ou non il a proposé à Ambrosine de devenir sa femme.

— Est-ce bien vrai?

— Vous n'imaginez tout de même pas que ma sœur voulait épouser une créature pareille? Il n'a rien pour lui à part son titre. (Sa voix était méprisante.) Si vous persistez à mettre en doute l'ingéniosité de maman, laissez-moi vous parler de Beryl.

— C'est votre autre sœur?

— Nous avons été nommées par ordre alphabétique, A B C D, la dernière étant Deirdre qui n'a que quatorze ans.

— Continuez.

— Quand il est venu à la maison, nous savions toutes que le marquis de Northaw était épris d'une ravissante femme mariée que maman avait invitée aussi.

— Pourquoi avait-elle fait cela?

— Pour s'assurer qu'il ne se décommanderait pas au dernier moment.

— Qu'est-ce qui s'est passé?

— Il était évident que le marquis ne s'intéressait pas à Beryl qui, de son côté, le trouvait franchement antipathique et usait de tous les prétextes pour l'éviter. Mais elle n'était pas de taille à lutter contre maman.

— Quel procédé a employé votre mère?

— Elle s'est arrangée pour que le marquis et ma sœur soient seuls ensemble dans la serre. Beryl m'a raconté ensuite qu'elle se montrait délibérément froide et distante et parlait fleurs sans avoir l'air de s'y intéresser quand maman a mis son projet à exécution.

— Quoi donc?

— Je n'ai jamais su exactement par quel moyen elle a lâché deux souris dans la serre. Elles ont détalé et Beryl qui a toujours eu peur des souris a poussé un cri et s'est blottie contre le marquis pour qu'il la protège! (Calista esquissa un petit geste.) Vous imaginez sans peine la suite. A ce moment précis, maman est entrée comme par hasard dans la serre avec plusieurs autres invités.

» Elle a pris Beryl dans ses bras et l'a embrassée tandis que les hommes qui l'accompagnaient félicitaient le marquis. Il n'a pas eu la moindre possibilité de s'esquiver ou d'expliquer qu'il y avait erreur.

— Si ce que vous dites est vrai, je dois admettre que votre mère a un esprit des plus ingénieux.

— C'est vrai. Malheureusement, je suis incapable de découvrir ce qu'elle a manigancé pour vous.

— Vous êtes toujours persuadée qu'elle veut réellement nous contraindre à nous marier?

Sa voix dénotait encore nettement de l'incrédulité et pourtant il reconnaissait à présent qu'il y avait une certaine vraisemblance dans ce que racontait Calista.

— Ma mère m'a dit voici un mois : « Il est temps que tu te maries, Calista, et je t'ai choisi quelqu'un. »

— Elle a déclaré cela sans préliminaires?

— Elle me répétait, depuis quelque temps, que je devrais me marier bientôt. Vous comprenez, j'ai déjà été frustrée d'un an de vie mondaine.

— Comment cela?

— Eh bien, à peine ma mère avait-elle annoncé les fiançailles de Beryl que la grand-mère du marquis de Northaw est morte et ils ont dû attendre douze mois avant de se marier. Alors, étant donné que maman refuse d'avoir plus d'une fille à sortir dans le monde à la fois, j'ai dû patienter un an de plus. J'ai dix-neuf ans. Presque bonne à coiffer Sainte Catherine, comme disent les Français.

Lord Helstone rit.

— C'est encore très jeune, à mes yeux en particulier.

— Oui, bien sûr. Vous avez près de trente ans. J'ai consulté le Debrett (1).

— Vous étiez en train de me raconter ce que vous avait dit votre mère.

_____
(1) L'annuaire de la noblesse.

— Simplement ceci : « J'ai choisi ton mari et quand tu le verras, Calista, tu seras aimable avec lui et tu t'abstiendras de prendre ces manières de garçon manqué qui ne peuvent que déplaire à un homme bien élevé. »

Le comte rit de nouveau.

— On ne s'exprime pas avec plus de franchise. Je ne peux pas croire que votre mère serait satisfaite de vous voir vêtue comme vous l'êtes à présent.

— Cela vous choque que je ne porte pas une jupe? questionna Calista. Ce serait très difficile de grimper à un arbre avec une jupe et je trouve plus facile d'apprendre ses tours à Centaure quand je suis habillée de cette façon. Naturellement, je m'arrange pour que maman ne me voie pas. Sinon, elle aurait une attaque.

— Je le crois volontiers.

Calista eut un rire léger.

— Vous êtes choqué! Comme c'est amusant! Je pensais qu'avec votre réputation rien de ce que je pourrais faire ne vous surprendrait.

— Ma réputation?

— Les gens parlent de vous et je sais très bien écouter, répliqua simplement Calista. Les hommes vous admirent énormément et les femmes ne tarissent pas sur votre séduction.

Ces remarques ne sonnaient pas comme un compliment dans sa bouche et lord Helstone déclara :

— Les commérages ne m'intéressent pas. Je souhaite savoir ce que votre mère vous a dit.

— Elle m'a expliqué qu'il n'y avait personne dans la bonne société qui soit plus riche, plus distingué ou plus fêté que l'insaisissable comte de Helstone. C'est un défi à relever, Calista, a-t-elle continué, que de détruire la légende qui l'entoure. Il sera ton mari et laisse-moi te dire que tu as beaucoup de chance.

Calista tourna son regard vers le lac.

— C'est à ce moment-là que j'ai résolu de vous avertir.

— Vous ne désirez pas m'épouser?

— Croyez-vous vraiment qu'une jeune fille a envie de se marier dans des conditions pareilles? D'ailleurs, j'ai décidé que rien ni personne ne m'obligera à prononcer le serment du mariage si je ne le veux pas.

— Ce qui signifie, je suppose, si vous n'aimez pas.

— Exactement. (Elle releva le menton et ajouta d'un ton de défi :) Cela vous amuse, j'en suis sûre, comme probablement la plupart des amis de ma mère, cette idée que je veuille aimer mon mari et qu'il m'aime.

— Je n'ai rien dit de tel.

— Mais vous le pensez quand même, rétorqua Calista. Je me doute qu'aux yeux de tout le monde j'aurais une chance folle d'être votre femme, si méprisable que soit la façon dont vous aurez été amené à m'épouser. Mais je n'ai aucune intention de me conformer à ce qui est acceptable pour les jeunes filles de mon âge ou même pour ma mère.

— Il faudra bien vous marier un jour ou l'autre.

— Quand je le ferai ce sera avec quelqu'un que j'aurai choisi moi-même, déclara sèchement Calista. Cela vous paraît incroyable, je m'en doute, mais à moins de trouver un homme que je puisse aimer de tout mon cœur, je jure que je resterai célibataire.

— Votre mère vous le permettra-t-elle?

— Je m'enfuirai plutôt que de tremper dans ses intrigues, dit Calista avec emportement.

— Ce ne serait pas facile, commenta-t-il d'une voix calme.

Elle resta silencieuse et il songea que son visage

qui se profilait sur l'eau argentée du lac était très beau.

Beaucoup d'hommes, il le savait, ne demanderaient pas mieux que de déposer leur cœur à ses pieds et de l'aimer comme elle le souhaitait.

Il semblait dur et presque cruel d'être sûr — comme il l'était — que son idéalisme serait vaincu par la volonté de sa mère et que tôt ou tard elle serait mariée sans avoir eu la possibilité de dire son mot dans l'affaire.

— Je sais ce que vous pensez, reprit Calista à mi-voix, mais peut-être parce que je suis plus âgée qu'Ambrosine et Beryl ne l'étaient à ce moment-là et peut-être aussi parce que je suis plus intelligente, je ne serai pas contrainte et forcée comme vous le croyez.

— J'espère que vous avez raison. D'autre part, je prévois bien des difficultés et des écueils pour vous, surtout si votre mère se conduit comme vous me l'avez raconté.

— Maman a une volonté de fer sous ses manières douces et charmantes.

Calista s'exprimait avec calme comme si elle donnait son opinion sur une étrangère.

— Il faut que je vous remercie de m'avoir prévenu et d'être si franche avec moi, dit-il. Je ferai de même, Calista, et vous avouerai que moi non plus je ne désire pas me marier. Je suis décidé à rester célibataire.

— Alors méfiez-vous de ma mère! Nous ne devons absolument pas rester seuls ensemble même un instant. J'ai changé de place à table, au dîner de ce soir. Maman sera sans doute furieuse contre moi demain et nous nous retrouverons côte à côte que cela nous plaise ou non.

— Je ne voudrais pas que vous me croyiez assez

peu galant pour ne pas être prêt à dire que vous me semblez très intéressante et à tout le moins sortant de l'ordinaire.

— Parlons de vos chevaux. Pourquoi leur donnez-vous des noms grecs?

— Comme le vôtre qui porte un nom grec, je les estime plus séduisants que ceux sous lesquels on inscrit en général les chevaux.

— Je me disais justement hier soir, en lisant le *Général Stud Book* (1) de James Weatherby, que je détesterais avoir un cheval appelé Whalebone ou Whiskers(2), déclara la jeune fille avec animation.

— Son palefrenier disait de Whalebone que c'était « le cheval le plus bas, le plus long et le plus désarticulé, avec les meilleures jambes et les pires pieds que j'ai jamais vus », récita-t-il.

Calista rit.

— N'empêche que Whalebone et Whiskers ont gagné le Derby, poursuivit-il.

— Squirt(3) est un nom encore plus laid, ajouta pensivement Calista.

— C'était le père de Marske qui à son tour a engendré Eclipse, remarqua lord Helstone.

Il vit une expression de surprise dans ses yeux quand elle s'écria :

— Tiens, mais vous vous y connaissez en chevaux?

— Je l'espère bien.

— C'est inhabituel. La plupart des propriétaires — en tout cas ceux qui viennent chez nous — achè-

---

(1) Le stud-book, littéralement : livre des haras, est le registre où sont inscrites la généalogie et les performances des chevaux pur-sang.
(2) Whalebone : Fanon de baleine. Whiskers : Favoris (touffe de barbe de chaque côté du visage).
(3) Gringalet.

tent ce qu'on leur recommande, suivent les avis de leur entraîneur pour s'inscrire dans une course et ne se préoccupent même pas de la généalogie des chevaux dont ils se sont rendus acquéreurs.

— Vous êtes dure, commenta lord Helstone en souriant.

— J'essaie de démontrer que Centaure descend de Godolphin Arabian. Vous savez qui c'est, je suppose?

— Oui, certes. Godolphin Arabian, Darley Arabian et Byerley Turk sont les bêtes de sang arabes dont descendent tous les pur-sang de ce pays.

— Oui, vous savez vraiment de quoi vous parlez, constata la jeune fille avec un accent admiratif qui ne se trouvait pas dans sa voix auparavant.

— Si Centaure n'est pas un arabe, c'est peut-être un barbe, reprit-il.

Il le disait pour juger des connaissances de Calista et vérifier si elle savait que les barbes(1) sont originaires d'Afrique du Nord — Libye, Tunisie, Algérie et Maroc — et viennent au second rang derrière les arabes.

— Quand les chevaux arabes ont été introduits en Angleterre sous le règne de Charles II, le duc de Newcastle, qui aimait les chevaux espagnols, disait qu'ils étaient les princes, et les barbes les gentils-hommes de leur race, rappela la jeune fille.

— Il avait sans doute raison. C'était un des plus grands propriétaires de haras de l'époque.

Calista joignit les mains.

— Oh, il y a tellement de choses que je veux vous demander et tant que je veux que vous me disiez! s'exclama-t-elle. Quel dommage que nous ne puis-

_____

(1) L'Afrique du Nord était anciennement appelée Barbarie, d'où le nom — d'origine italienne — donné à ces chevaux de selle, nombreux surtout au Maroc.

sions pas nous parler comme tout le monde, mais c'est impossible... absolument impossible!

— Je persiste à croire que vous vous exagérez le pouvoir de votre mère.

— Je ne suis pas prête à courir le risque de me tromper... et vous? questionna-t-elle.

— Ma foi non et par conséquent je pense que nous devrions rentrer. Qu'on vienne à nous découvrir ici et c'est alors que nous serions pris au piège sans recours!

— Vous vous laisseriez faire si docilement?

Cette fois le mépris avait reparu dans la voix de la jeune fille.

— Je me débattrais comme un cheval arabe mais, quand on est capturé au lasso par quelqu'un qui sait le manier, s'échapper n'est pas facile.

— En tout cas, je vous ai averti. Votre seule sauvegarde est de rester avec les autres invités et de ne pas vous promener seul. Ne me parlez qu'à moins de ne pouvoir faire autrement.

— Voilà qui est bien dommage. Bavarder avec vous est une expérience nouvelle et enrichissante, Calista.

— Seulement parce que je représente une nouveauté. Un garçon manqué différent des autres dames auxquelles vous accordez vos faveurs.

Il haussa les sourcils.

— Je dois avouer que je n'aime guère cette expression.

— Elle est exacte, pourtant! Dommage que vous n'entendiez pas quelques-uns des propos qu'échangent les femmes après le dîner. Vous vous rendriez compte que vous avez tout du sultan dont le harem se dispute les faveurs.

— Si vous parlez de cette façon, vous vous apercevrez que bon nombre de jeunes gens auront peur de demander votre main. Une épouse à la langue acérée est aussi difficile à tenir en bride qu'un cheval qui s'emballe.

Calista rit.

— Je regrette que vous n'ayez pas vu votre tête quand je suis tombée de Centaure et que vous croyiez que j'étais blessée.

— C'était inattendu de voir une jeune femme se jeter littéralement à mes pieds, rétorqua-t-il sèchement.

Calista se remit à rire.

— Même ce vieil imbécile de palefrenier par qui maman tient à me faire accompagner quand je me promène à Londres n'arrivait pas à croire que Centaure me désarçonnerait ou que je pouvais choir de ma selle.

Elle poussa un petit soupir.

— J'aurais aimé vous montrer quelques-uns des tours que connaît Centaure. Il est vraiment fantastique mais vous intéresser à lui risque de sembler à ma mère un intérêt pour moi.

— Je vois que des obstacles plus hauts que ceux des steeple-chases nous séparent, ironisa lord Helstone.

— Dites-vous bien qu'il s'agit de quelque chose de sérieux, insista la jeune fille. J'ai bien compris, quand je vous en ai parlé la première fois, que vous aviez tendance à prendre mon avertissement comme une plaisanterie.

— Admettez tout de même que c'est un peu extravagant.

— Vous trouveriez encore plus extravagant de vous réveiller un beau matin marié avec moi !

— Je reconnais que c'est une perspective alarmante, convint-il d'un ton malicieux.

— Alors soyez prudent !

Calista se leva du banc sous le chèvrefeuille tout en parlant et se mit à contempler le lac.

Elle était très mince et n'eût été son petit visage aux traits délicats, aux immenses yeux noirs, elle aurait pu passer pour un garçon dans son costume masculin.

— Imaginez-vous ce que ce serait de venir ici, avec quelqu'un qu'on aime? murmura-t-elle. De regarder les brumes se lever sur le lac et se dire que ce sont les nymphes qui vivent sous les eaux vertes; de sentir la magie du clair de lune et savoir que les étoiles sont les vœux que vous avez faits pour votre bonheur à l'un et à l'autre?

Sa voix avait une douceur et une musicalité toutes nouvelles.

Il la dévisagea longuement, puis dit avec calme :

— Je crois que ce que vous venez de décrire est ce que nous voulons tous trouver mais qui nous échappe.

Calista abandonna sa contemplation du lac pour se tourner vers lui.

— L'amour est donc insaisissable... comme vous!

— Je ne suis pas particulièrement fier de ce qualificatif, protesta-t-il.

— Je pense bien! D'autant plus qu'il a décidé ma mère à vous empêcher de rester insaisissable plus longtemps. L'importunité des femmes doit faire de votre vie un vrai cauchemar!

Elle avait parlé d'un ton ironique et lord Helstone répliqua :

— Votre mère a raison de vous traiter de garçon manqué, Calista, mais j'ajouterai que je vous trouve un petit démon provocant.

— Merci, mylord. Si je portais les vêtements appropriés, je vous ferais la révérence. Comme ce n'est pas le cas, mieux vaut que je vous précède parce que sans ce petit démon provocant vous risqueriez fort de vous égarer dans les buissons.

Elle marchait si vite qu'il eut du mal à la suivre. Ils arrivèrent à la maison en quelques minutes et, arrêté dans l'ombre des rhododendrons, il leva les yeux vers le magnolia.

— Inutile de grimper par là, dit Calista qui avait deviné ce qu'il pensait. J'ai une clef de la porte de derrière et je vous ouvrirai. Vous n'aurez qu'à monter à l'étage et votre chambre est à gauche.

Elle se tut un instant, puis ajouta :

— Si par malchance vous rencontriez quelqu'un, vous êtes allé vous promener dans le jardin parce que vous aviez de la peine à trouver le sommeil. Personne ne s'imaginera que vous n'étiez pas seul.

Sans attendre de réponse, Calista traversa l'allée en courant vers la maison.

Lord Helstone aperçut une porte presque au-dessous de sa fenêtre sur la droite.

Calista avait tiré une clef de la poche de son pantalon. Elle l'inséra dans la serrure et poussa le battant pour laisser entrer son compagnon.

— Bonne nuit! dit-elle dans un quasi-murmure.

— Bonne nuit, Calista. Permettez-moi de vous remercier pour une conversation vraiment agréable et inattendue.

Elle lui fit une petite grimace et il vit que ses yeux pétillaient de malice.

Puis, quand il fut à l'intérieur de la maison, elle ferma la porte et il entendit la clef tourner dans la serrure.

Le lendemain matin, il se demanda s'il n'avait pas rêvé sa conversation avec Calista, mais il n'eut guère le temps d'approfondir la question.

On vint le réveiller de bonne heure et il partit avec lord Yaxley voir exercer les chevaux avant la course et juger lesquels des magnifiques animaux rassemblés sur les collines d'Epsom avaient des chances de gagner.

Il retrouva bon nombre de ses amis qui étaient là pour les mêmes raisons et indubitablement la plupart des autres propriétaires examinaient avec appréhension les chevaux du comte de Helstone en se demandant s'il y avait une possibilité de les battre.

Le comte avait engagé des bêtes dans trois courses sur cinq et il estimait n'avoir à redouter qu'un seul adversaire — un cheval d'une beauté exceptionnelle appartenant à lord Hillsborough.

Delos était naturellement tenu en réserve pour le Derby, qui se courait le lendemain, et son entraîneur lui avait assuré que le cheval était dans une forme excellente.

Quand ils rentrèrent à Chevington Court pour déjeuner et se changer avant de retourner à l'hippodrome, lord Helstone ne fut pas surpris de ne pas apercevoir Calista.

Il entendit toutefois lady Chevington demander où elle était.

— Miss Calista est déjà partie, m'lady. Elle avait l'intention d'arriver de bonne heure au champ de courses. Je croyais Votre Seigneurie au courant.

— A-t-elle pris son cheval? questionna lady Chevington.

— Oui, m'lady.

— Elle savait pourtant bien que je voulais qu'elle m'accompagne en voiture! s'exclama sèchement lady Chevington.

Se rendant compte qu'il était trop tard pour y rien changer, elle reporta son attention sur ses invités et il ne fut plus question de sa fille.

Pendant les courses, lord Helstone eut l'impression que Calista était sur les collines de l'autre côté de l'hippodrome.

Il fut presque certain de reconnaître Centaure avec son étoile blanche au front et ses deux balzanes.

Mais si c'était bien Calista, elle prit soin de rester hors de vue des tribunes et il pensa qu'elle observerait probablement les courses depuis le célèbre Tattenham Corner plutôt que dans la portion du parcours fréquentée de préférence par les gens du monde.

Lord Helstone compta une victoire spectaculaire dans la seconde course et son autre cheval gagna d'un nez la troisième.

Le dernier qu'il avait engagé, comme il s'y attendait, fut battu, mais il rentra tout joyeux à Chevington Court.

— Tu as eu une bonne journée, Osric? questionna lord Yaxley.

— Excellente!

— Je serai ravi de te voir gagner le Derby demain, reprit lord Yaxley.

— Ce n'est pas du tout la même chose, tu le sais parfaitement. Nous aurons contre nous les meilleurs chevaux d'Angleterre et je ne suis pas absolument certain que Delos pourra soutenir le train jusqu'au bout.

— Je crois que si et laisse-moi te dire, Osric, que ce sera une victoire extrêmement bien accueillie. La foule t'aime et il y a beaucoup de gens qui ont misé non seulement sur ton cheval mais également sur toi.

— Tu es vraiment bon à mon égard, tout d'un coup, commenta lord Helstone avec un petit sourire cynique.

— Je le dis comme je le pense, répliqua lord Yax-ley. Il y a beaucoup de propriétaires, nous le savons tous les deux, dont le public qui vient assister au Derby pour se distraire se désintéresse totalement, mais toi c'est différent.

Le lendemain, quand les chevaux apparurent au tournant de Tattenham et, groupés en peloton, enta-mèrent la longue ligne droite jusqu'au poteau d'arri-vée, lord Helstone regarda avec attention.

A cette distance, c'était impossible de distinguer son cheval dans l'éclatant kaléidoscope des casaques rouges, vertes et jaunes et des casquettes aux mêmes couleurs.

Les chevaux se rapprochèrent et un étrange silence se fit comme si tous les assistants — hom-mes, femmes et enfants — retenaient leur souffle.

Puis lord Helstone vit Delos qui remontait le long de la corde.

Il dépassa le cheval voisin juste d'un nez, puis d'une demi-longueur et une ovation formidable s'éleva quand il franchit la ligne d'arrivée avec deux bonnes longueurs d'avance.

« Compliments, Osric! Une course magnifique! Compliments, mon vieux! Bravo! »

Tout le monde semblait lui parler en même temps et cette fois lord Helstone avait une lueur victo-rieuse dans le regard et un sourire sur les lèvres quand il quitta la tribune pour se rendre au pesage.

Son entraîneur était surexcité au point d'en être presque incohérent dans ses paroles et le jockey avait les larmes aux yeux quand il le félicita.

Seul Delos restait parfaitement indifférent. Il encensait comme s'il ne ressentait aucune fatigue de sa longue et dure course.

De retour à Chevington Court, son hôtesse et les autres invités accablèrent lord Helstone de flatteries et de félicitations. Comme le dit ensuite lord Yaxley, ils lui réservèrent un accueil auquel ne manquait que la couronne de lauriers pour être un vrai triomphe romain.

Le plaisir de tous était évidemment accru du fait que la majorité d'entre eux avaient misé des sommes coquettes sur Delos.

Leur confiance leur avait été inspirée moins par lord Helstone que par lord Yaxley qui, ayant suivi cette fois le conseil de son ami, avait voulu que les autres profitent aussi du tuyau.

— Les boomakers ne seront pas aussi contents ce soir, dit lord Yaxley à son ami quand ils montèrent s'habiller pour le dîner.

— Ils avaient eu une bonne journée hier. Ma seconde victoire était à dix contre un.

— Tu fais courir demain?

Il secoua négativement la tête.

— J'ai pensé qu'en cas de succès avec Delos mon écurie serait trop sens dessus dessous pour s'occuper sérieusement d'autre chose. Il reste encore la Gold Cup d'Ascot.

— Tu es insatiable, Osric, le taquina lord Yaxley.

Le dîner fut encore plus gai et divertissant que les deux soirées précédentes. Le nombre des convives s'était augmenté d'invités venus des résidences voisines et lord Helstone apprit qu'un bal était prévu après le dîner.

Il se demanda s'il fallait voir là un moyen subtil de lui mettre Calista dans les bras, mais c'est qu'il n'avait pas eu le privilège d'entendre la conversation que Calista avait eue avec lady Chevington.

— Tu as encore changé de place à table hier soir comme la veille, avait déclaré lady Chevington d'un ton sévère. Tu savais bien que je voulais te faire asseoir à côté du comte de Helstone.

— Désolée, maman, mais je désirais vivement être près de lord George Bentinck et j'ai cru que cette modification ne t'ennuierait pas.

— Au contraire, j'en ai été très fâchée, avait répliqué d'un ton sec lady Chevington. J'avais choisi les places des invités avec le plus grand soin et, comme tu ne l'ignores pas, je désire que tu t'entretiennes avec lord Helstone.

— Ne me dis pas que tu as toujours cette idée ridicule que je pourrais l'épouser?

— Elle n'est pas ridicule et j'ai bien l'intention que tu te maries avec lui.

— Alors je t'assure que tu seras déçue. Je n'ai aucune envie de l'épouser et c'est de notoriété publique qu'il ne s'intéresse pas aux jeunes filles inexpérimentées.

— En temps voulu, les jeunes filles deviennent des femmes mariées, Calista, et c'est ce qui se passera pour toi.

— J'en doute, maman, et en tout cas pas avec le comte de Helstone.

Lady Chevington avait serré les lèvres.

— Tu seras aimable envers lui, Calista, et tu danseras avec lui ce soir.

— Désolée, maman, mais je ne crois pas que j'aurai envie de danser ce soir.

— Comment?

— J'ai mal à la gorge et le nez bouché. Je crains de couver un rhume.

— Je n'en crois pas un mot! avait répliqué lady Chevington. Va te reposer avant le dîner. Je veux que tu sois à ton avantage.

— J'espère que je ne te décevrai pas, maman, avait été la réponse sage de Calista.

Deux heures plus tard, lady Chevington accueillait ses invités dans le salon quand le maître d'hôtel vint la trouver.

— Qu'y a-t-il? questionna-t-elle.

— Miss Calista m'a demandé de vous prévenir, qu'elle se sent trop mal et que son rhume s'est trop aggravé pour qu'elle descende dîner ce soir.

Lady Chevington se figea l'espace d'une seconde et ses lèvres se pincèrent en une ligne dure. Puis comme d'autres invités étaient annoncés, elle s'avança vers eux avec un charmant sourire et s'exclama :

— Comme c'est aimable à vous de venir! Je suis enchantée de vous voir.

4

Lord Helstone avait entendu ce que le maître d'hôtel annonçait à lady Chevington et il sourit en songeant que Calista se montrait d'une prudence vraiment exagérée.

D'autre part, cela signifiait qu'il n'avait pas besoin ce soir de craindre d'être séparé des autres invités ou de se retrouver seul avec elle dans la serre sans l'avoir voulu! •

Il effaça donc de son esprit le problème de Calista et se mit en devoir de passer une bonne soirée avec ses amis qui désiraient discuter les performances de tous les chevaux ayant couru le Derby.

— Il faut que tu tentes à présent de décrocher la Triple Couronne, Osric, déclara lord Yaxley, et lord George Bentinck fit chorus.

La Triple Couronne signifie qu'un cheval a gagné

le Prix des Deux Mille Guinées, le Derby et le St. Leger.

— J'ai bonne envie de faire courir Delos à Ascot, dit pensivement lord Helstone.

— Vous avez dans votre écurie deux autres chevaux sur lesquels je miserai certainement si vous les inscrivez pour la Gold Cup, déclara lord Bentinck. A votre place, je réserverais Delos pour le St. Leger.

— Vous avez peut-être raison, acquiesça lord Helstone, tandis qu'un autre propriétaire s'exclamait avec un peu d'aigreur :

— N'y a-t-il personne pour empêcher Helstone de remporter tous les prix de l'année? S'il inscrit Delos, je retire mon cheval.

Les autres partirent d'un rire moqueur, mais il déclara :

— Je suis toujours prêt à m'incliner devant des chances supérieures. Dieu seul sait comment Helstone s'arrange pour produire des pur-sang meilleurs qu'aucun des nôtres.

— Je pense que ce n'est pas seulement une question d'élevage. L'entraînement compte aussi, commenta lord Bentinck. Helstone a ses méthodes que j'ai souvent jugées révolutionnaires, mais elles donnent de bons résultats.

— On ne peut pas le nier! s'exclama quelqu'un avec humeur.

Une fois de plus, le dîner fut un délice et quand les gentilshommes rejoignirent les dames au salon, Lord Helstone se dirigea vers les tables de jeu, ne se sentant pas enclin à poursuivre le flirt engagé pendant le repas avec la jolie pairesse qui était assise à côté de lui.

Ce soir-là, les dames ne se retirèrent pas de bonne heure car on devait danser et minuit était passé quand tout le monde prit congé.

Lord Helstone entendit la duchesse de Frampton dire à lady Chevington :

— Je me suis bien amusée, maman. Quel dommage que Calista ait un rhume.

— Elle est exaspérante, répliqua lady Chevington d'un ton bien différent de la voix suave dont elle avait parlé à ses invités.

— Je pense qu'elle sera rétablie pour aller aux courses demain, reprit la duchesse en riant. Tu sais bien que Calista ne voudrait pour rien au monde manquer les courses.

Lady Chevington ne répondit pas. Puis la compagnie se munit des bougies allumées dans leur chandelier d'argent que chacun emportait dans sa chambre et monta lentement l'escalier.

Le comte de Helstone était presque l'un des derniers, étant revenu sur ses pas pour avertir le maître d'hôtel qu'il s'en irait après les courses dans l'après-midi du lendemain.

Il avait conclu que trois nuits à Chevington Court suffisaient amplement et il était sûr que Calista serait ravie de lui voir les talons.

Au bas de l'escalier, il trouva lady Chevington en train de discuter avec lord Bentinck et lord Palmerston les additions qui avaient été faites à la maison au cours des âges.

— C'est un amalgame étonnant de styles de différentes périodes, déclara lord Palmerston.

— En effet, dit lady Chevington.

— Le plus étonnant, c'est que chaque addition semble être ce qu'il y a de mieux dans le style de son époque, commenta lord Bentinck. Cet endroit où nous nous tenons est du plus beau George Ier alors que l'orangerie et la bibliothèque sont du parfait Reine Anne.

— J'ai délibérément conservé à chacune ses

caractéristiques, expliqua lady Chevington. Et, chose curieuse, c'est l'aile élizabéthaine qui me paraît la plus plaisante. J'ai toujours le cœur un peu serré quand je pense à tout ce qui a été détruit du bâtiment, mais l'aile qui reste, telle quelle, est irréprochable.

— C'est vrai, fit lord Bentinck.

— Je l'ai meublée de lits à colonnes Tudor et quand il faut remplacer les lambris je suis obligée de supplier à genoux le conservateur des églises anciennes pour obtenir le même modèle de panneau « à plis de serviette ».

— Vous avez un goût merveilleux, ma chère! décréta lord Palmerston d'un ton presque caressant.

— J'adorerais avoir une maison entièrement de style Tudor, reprit lady Chevington en montant l'escalier. Il y a une peinture représentant celle-ci telle qu'elle était en 1560 quand on l'appelait « la Halte de la Reine » parce qu'Elizabeth y avait dormi. Il faut que je vous la montre.

— Je serai ravi de la voir, répliqua lord Bentinck. Vous avez de la chance de posséder un tableau aussi ancien.

— La maison figure à l'arrière-plan de plusieurs tableaux connus, précisa lady Chevington, mais il n'en existe qu'un de la maison même.

Comme ils arrivaient au palier, elle se tourna vers le comte de Helstone.

— Le tableau dont nous parlons est accroché dans votre chambre, mylord. Cela ne vous ennuie pas, je pense, que je le montre à lord Palmerston et à lord Bentinck?

— Nullement, répondit-il.

Tous s'engagèrent dans le couloir et il ouvrit la porte de sa chambre.

Chacun d'eux portait sa bougie, inutile puisqu'il y avait deux candélabres allumés de chaque côté du lit à colonnes et un autre à six branches posé sur une table près de la cheminée qui éclairaient le tableau à la perfection.

Ils entrèrent dans la pièce et le comte dont le regard alla droit au tableau suspendu au-dessus de la cheminée songea que lady Chevington avait raison en disant que c'était une peinture extrêmement rare et intéressante.

La vaste demeure en briques rouges ressortait comme un joyau sur le fond vert du parc et des bois qui l'entouraient. Au moment où le comte de Helstone se rapprochait de la cheminée, il entendit fuser une exclamation et se retourna.

Lady Chevington et ses deux compagnons n'examinaient pas le tableau. Ils regardaient le lit.

Lord Helstone n'en crut pas ses yeux en voyant Calista couchée au beau milieu, ses cheveux blonds répandus sur l'oreiller, profondément endormie!

Pendant un instant, personne ne bougea. Puis, d'une voix sèche chargée d'indignation, Lady Chevington s'écria :

— Vraiment, mylord!

Il resta figé, incapable de trouver ses mots. Avec tact, lord Bentinck et lord Palmerston se dirigèrent vers la porte.

Il fut conscient d'un petit sourire d'amusement et peut-être de sympathie sur les lèvres de lord Palmerston.

Palmerston avait eu tant d'aventures amoureuses qu'il ne pouvait s'empêcher de sympathiser avec un autre pécheur.

Lady Chevington se dirigea vers le lit et se pencha pour prendre Calista aux épaules.

Elle la secoua avec violence et lord Helstone se

rendit compte que la jeune fille avait dû être droguée.

Elle ouvrit les yeux lentement, comme si ses paupières étaient lourdes. Elle regarda sa mère avec une expression hébétée, incapable de comprendre où elle était et ce qui se passait.

— Réveille-toi, Calista!

Lady Chevington tira sa fille sans ménagement pour la faire asseoir.

Avec un effort visible, Calista détourna les yeux du visage de sa mère et son regard se porta vers l'endroit de la pièce où se tenait le comte.

— Où... où suis-je? Qu'est-ce... qu'est-ce qui arrive? questionna-t-elle d'une voix pâteuse.

— Comme si tu ne le savais pas! répliqua lady Chevington. J'ai honte de toi, Calista, mais ce n'est ni le lieu ni le moment de discuter ta conduite.

Tout en parlant, elle prit une robe de chambre qui gisait sur un fauteuil voisin et lord Helstone remarqua qu'elle ne l'avait pas cherchée, qu'elle savait visiblement où était le vêtement.

Elle fit descendre Calista du lit et posa la robe de chambre sur ses épaules.

— Viens maintenant avec moi.

Un bras autour des épaules de sa fille, elle l'entraîna vers la porte.

Cloué sur place, lord Helstone les regardait. Quand Calista passa devant lui, leurs yeux se rencontrèrent et il lut du désespoir dans les siens.

— J'aurai un entretien avec vous demain matin, mylord, dit Lady Chevington sur le seuil de la porte.

Puis elle emmena Calista hors de la pièce et Osric Helstone demeura seul.

Il resta un moment le regard perdu dans la direction où elles avaient disparu, puis il s'assit dans un fauteuil, les lèvres serrées.

Il était obligé de convenir que Calista avait eu raison, absolument et entièrement raison, et qu'il avait été un imbécile de ne pas la croire.

Pourquoi, se demandait-il à présent, n'avait-il pas admis qu'elle savait de quoi elle parlait? Pourquoi n'avait-il pas refusé cette invitation à Chevington Court comme elle l'en avait prié?

C'était incroyable d'avoir sous-estimé l'ingéniosité et la détermination de lady Chevington, surtout après avoir appris ses manigances pour faire épouser ses autres filles par le duc et le marquis.

Il savait bien qu'il n'avait à présent aucune possibilité de se sortir honorablement de cette aventure s'il refusait de se marier avec Calista.

Il était certain que ni Palmerston ni Bentinck ne croiraient une seconde qu'il n'avait pas encouragé la jeune fille à penser qu'elle serait bien accueillie dans son lit.

Sa réputation auprès du beau sexe ruinerait tous les efforts qu'il tenterait pour prouver son innocence.

Il n'y avait qu'une solution au problème et c'était le mariage avec Calista.

Lady Chevington remportait donc la victoire — et cela impliquait aussi que non seulement elle allait avoir un gendre riche et considéré mais encore qu'elle avait gagné son pari de mille guinées et, qui plus est, qu'elle avait triomphé de « l'Insaisissable ».

Personne, songea-t-il avec fureur, n'admettrait que le piège avait été conçu et mis en place bien avant son arrivée à Chevington Court.

L'amabilité de lady Chevington, son talent pour se faire des amis, ses réceptions parfaites, les amusements qu'elle prodiguait à ses invités l'avaient rendue très populaire.

Elle était peut-être réputée ambitieuse, comme

l'avait dit lord Yaxley, mais de toute évidence on ne se doutait nullement de ce qu'elle était capable de faire pour obtenir ce qu'elle voulait et procurer à ses filles la situation sociale qu'elle estimait indispensable à leur bonheur.

« Sacrebleu, songea lord Helstone, il doit bien y avoir un moyen de me dégager! »

Mais il savait qu'il ne pouvait que s'incliner devant l'inévitable et prendre Calista pour femme.

« Ç'aurait pu être pire », se dit-il.

Tout en rageant intérieurement à l'idée d'être coincé, il s'était rappelé que du moins avait-il des compensations : Calista était intelligente, elle aimait les chevaux, elle était très jolie.

D'autre part, elle avait dit qu'elle voulait faire un mariage d'amour et lord Helstone s'avouait à présent que c'est ce que lui aussi désirait.

S'il n'avait pas la possibilité de trouver l'amour, il aurait en tout cas préféré avoir une épouse choisie par lui et non par lady Chevington.

Il se leva et commença à arpenter la pièce de long en large.

Il eut alors la sensation que les murs se resserraient autour de lui, que les fenêtres étaient grillagées, la porte verrouillée et qu'il était prisonnier!

Prisonnier d'une femme qui s'était montrée trop astucieuse pour lui, qui l'avait poursuivi avec un esprit plus imaginatif que le sien, si bien qu'à présent il était piégé sans espoir aucun de se dégager.

Le lendemain matin, le premier mouvement de lord Helstone fut de quitter la maison avant que les gens soient levés et de retourner à Londres. Puis il se dit que ce serait se conduire en lâche.

Il se rendait compte que, s'il souffrait, Calista

devait souffrir aussi — et il ne pouvait oublier l'expression de désespoir qu'il avait vue dans ses yeux quand sa mère l'avait fait sortir de la chambre la veille au soir.

« Il faut que j'étudie la situation avec elle, pensa-t-il. Peut-être trouvera-t-elle une solution qui ne me vient pas à l'esprit. »

Il savait que Calista voudrait braver sa mère, refuser de l'épouser. Mais elle était mineure.

Même si elle avait atteint sa majorité, les parents avaient une autorité complète sur leurs enfants et les filles se mariaient avec celui qu'on leur disait d'épouser, sans qu'il soit question de discuter.

Il envisagea d'expliquer à lord Yaxley ce qui s'était passé, puis se dit que moins il y aurait de gens au courant plus cela faciliterait les choses pour Calista.

En effet, que l'on vienne à apprendre qu'elle avait été découverte endormie dans son lit déclencherait contre elle les critiques les plus sévères des *grandes dames* (1) de la haute société.

Bon nombre d'autres femmes plus jeunes et plus jolies, Helstone ne l'ignorait pas, ne seraient que trop contentes d'agonir de sottises et de clouer au pilori celle qui réussissait là où elles avaient échoué et capturait l'Insaisissable.

Il était convaincu que lady Chevington avait déjà dû faire jurer le secret à lord Bentinck et à lord Palmerston. D'ailleurs, c'étaient des hommes bien nés, qui savaient qu'on doit surveiller sa langue quand on parle d'une jeune fille.

—Plaise au Ciel que cela ne parvienne pas aux oreilles de la reine! s'exclama-t-il.

Puis il s'avisa que si Sa Majesté ignorait les aventures amoureuses de son ministre des Affaires

_____

(1) En français dans le texte : il s'agit des douairières.

98

étrangères, il n'y avait guère de danger qu'elle entende parler de Calista.

Lord Palmerston avait été surnommé « Cupidon » par ses amis mais s'il se montrait ardent à courtiser les jolies femmes c'était un grand seigneur et Helstone était certain qu'on pouvait se fier à lui pour ne rien dire qui risque de nuire à Calista.

Lord Bentinck était quelque peu collet monté et il avait dû être profondément choqué de voir une femme non mariée dans le lit du comte de Helstone.

Il devait se douter de ce qui se passait avec des dames plus âgées et plus averties, mais il avait certainement été surpris de voir lord Helstone, qui ne trouvait pratiquement pas de cruelles parmi les femmes dont il s'éprenait, jeter son dévolu sur une jeune fille candide.

C'est avec une mine sévère sur son beau visage et une expression circonspecte dans les yeux que le comte de Helstone descendit à la salle à manger où était servi le petit déjeuner.

La coutume à Chevington Court voulait que les hommes déjeunent en bas, alors que la plupart des dames étaient servies dans leur chambre.

Le comte s'était levé de bonne heure et seuls lord Yaxley, un homme politique et un turfiste réputé étaient attablés et lisaient la page des sports dans les journaux qu'ils avaient étalés devant eux.

— Les journaux parlent de Delos dans les termes les plus élogieux, Osric, annonça lord Yaxley quand il entra dans la pièce. Ils le considèrent comme un nouvel Eclipse, ce qui devrait te faire plaisir.

Sans répondre, il alla inspecter la longue rangée de plats succulents disposés sur une desserte à côté de laquelle plusieurs valets attendaient qu'on leur dise ce qu'on désirait.

Ayant fait son choix, il s'installa à la longue table

et le maître d'hôtel lui demanda à mi-voix s'il préférait du thé, du café ou de la bière.

Il opta pour le café, tout en remarquant que les autres avaient pris de la bière, à l'exception du propriétaire de chevaux de courses qui buvait déjà du cognac.

— Qui envisages-tu pour la première course? questionna lord Yaxley.

Willoughby Yaxley était invariablement assez bavard au petit déjeuner, ce que les autres trouvaient souvent exaspérant.

— C'est le cheval de lord Derby qui me paraît avoir le plus de chance, répliqua le comte dont c'étaient les premiers mots.

— Je me doutais que c'est ce que tu dirais, mais certains journaux recommandent un outsider appelé le Braconnier.

— Je l'ai vu courir à Doncaster, dit le turfiste. Pour ma part, j'ai trouvé qu'il n'avait pas beaucoup de fond, mais il arrivera peut-être à gagner sur une courte distance.

Comme lord Yaxley s'apprêtait à discuter les mérites d'autres chevaux engagés dans la course, un afflux d'invités pénétra dans la salle à manger, parmi lesquels il y avait lord Bentinck et lord Palmerston.

Tous deux saluèrent le comte avec une cordialité destinée, il le devina, à lui faire comprendre qu'ils avaient déjà chassé de leur esprit le fâcheux épisode dont ils avaient été témoins la veille.

Lord Yaxley engagea avec lord Bentinck une longue discussion sur le bien-fondé d'une accusation de gêne volontaire pendant la dernière course de la veille et lord Helstone fut libre de concentrer son attention sur le journal qu'il avait devant lui et de terminer son déjeuner en silence.

Il but une seconde tasse de café et s'apprêtait à se lever quand le maître d'hôtel s'approcha.

— Excusez-moi, m'lord, mais madame désirerait vous parler dans son boudoir.

— J'y vais, répondit-il.

Le maître d'hôtel lui ouvrit la porte, puis le précéda dans l'escalier et le long d'un couloir conduisant à la partie de la maison où se trouvait l'appartement de lady Chevington.

En chemin, il se demanda s'il ne devrait pas l'accuser d'avoir agencé de propos délibéré l'incident de la veille. Puis il pensa que déclencher une scène ne l'avancerait à rien.

Lady Chevington, il en était convaincu, nierait avoir été au courant des faits et gestes de Calista.

Ce ne serait que trop commode de dire qu'elle s'attendait à ce que sa fille assiste au dîner et participe ensuite à la soirée dansante mais que, lorsque sa fille avait envoyé un message la prévenant qu'elle était trop malade pour descendre, il lui avait été impossible, étant donné le nombre de ses invités, de s'occuper de Calista avant que tous se soient retirés.

Non, songea-t-il, la seule solution était de prendre apparemment les choses du bon côté en attendant de discuter la situation avec Calista.

Le maître d'hôtel ouvrit la porte et il fut introduit dans le boudoir de lady Chevington.

La pièce était exactement comme il aurait pu s'y attendre, embaumée par le parfum des fleurs et décorée avec un goût exquis dans un ton bleu pâle qui mettait en valeur les cheveux blonds et le teint de pêche de Sa Seigneurie.

Il y avait un merveilleux choix de tableaux de maîtres français suspendus aux murs et un coup d'œil aux objets d'art posés sur les consoles apprit à Helstone que lady Chevington avait rassemblé autour d'elle de nombreux trésors que n'importe quel collectionneur averti aurait été fier de posséder.

Son hôtesse, vêtue d'un ample déshabillé de mousseline incrustée de dentelle, était assise devant son secrétaire.

Elle se leva à l'entrée du comte mais ne parla qu'après que le maître d'hôtel eut refermé la porte derrière lui.

— Je vous ai envoyé chercher, mylord, parce qu'il s'est produit un événement très fâcheux.

Lord Helstone haussa les sourcils mais ne dit rien.

— Calista s'est enfuie!

C'était tellement éloigné de ce qu'il escomptait qu'il en fut abasourdi.

— Elle s'est enfuie? répéta-t-il. Où ça?

— Je n'en ai pas la moindre idée, mais je viens d'apprendre qu'elle a quitté la maison à l'aube avec son cheval Centaure.

— Ne se pourrait-il qu'elle soit allée chez des amis?

— J'en doute. J'ai bien envoyé déjà un valet chez la seule jeune fille du voisinage avec qui elle est liée, mais je suis presque sûre que cette famille est absente en ce moment. D'ailleurs, je ne pense pas que Calista voudrait solliciter son aide.

— Vous croyez que c'est de l'aide qu'elle cherche?

L'ironie était sensible dans la voix de lord Helstone.

— Je me demandais si elle ne vous avait pas dit quelque chose qui nous donnerait une idée de l'endroit où elle se cache.

— Vous reconnaissez qu'elle désirerait se cacher? questionna-t-il d'un ton accusateur.

— Je ne reconnais rien! rétorqua lady Chevington. J'imagine que cette petite est gênée après ce qui s'est passé hier soir et je ne pense pas qu'elle restera longtemps absente. Entre-temps, toutefois, j'estime qu'il vaut mieux que vous et moi n'en parlions pas.

— Je n'ai rien à dire, commenta-t-il. Serons-nous francs l'un envers l'autre?

— Je n'en vois pas la nécessité, répliqua lady Chevington en le regardant droit dans les yeux. Vous épouserez naturellement Calista, mais les fiançailles ne peuvent pas être annoncées avant qu'on l'ait retrouvée.

— Elle a tenu compte de ce détail quand elle est partie, j'en suis sûr, remarqua-t-il d'un ton sarcastique.

Lady Chevington se dirigea vers la cheminée qui était de l'autre côté de la pièce.

— Je ne suis pas tranquille du tout, reprit-elle. Où Calista a-t-elle bien pu aller? Et comment se débrouillera-t-elle pour vivre, elle et son cheval?

— Je présume qu'elle avait de l'argent sur elle?

Lady Chevington haussa les épaules.

— Franchement, je ne sais pas. Miss Ainsworth, la gouvernante de ma fille cadette, me dit qu'elle a peut-être quelques livres sterling mais guère plus, à son avis.

— Quelques livres? s'exclama-t-il. C'est ridicule.

— J'estime que c'est encourageant. Quand Calista s'apercevra qu'elle est incapable de subsister avec le peu qu'elle a, elle rentrera. Non?

— Moi, j'estime que vous n'avez pas le sens des réalités, dit-il sèchement. Avez-vous songé aux ennuis qui menacent une jeune fille jolie comme Calista et voyageant seule sans protection et sans argent?

Il y avait sur son visage une expression de colère que lady Chevington ne manqua pas de remarquer.

— Je suis aussi inquiète que vous semblez l'être, mylord, répondit-elle. Toutefois, que puis-je faire?

J'informerai la police, si vous jugez que c'est la mesure la plus sage. Mais je pense que dans l'intérêt de Calista mieux vaudrait éviter un scandale.

Elle marqua un temps, puis ajouta :

— Comme vous le savez, personne ne croira jamais qu'elle a quitté la maison seule.

— Elle a quitté cette maison pour me fuir et fuir ce que vous avez comploté pour elle avec tant d'adresse!

— Il me paraît inutile de discuter autre chose que la situation fâcheuse où est présentement Calista, répliqua lady Chevington, dédaignant avec superbe l'accusation que lord Helstone n'avait pu se retenir plus longtemps de lui lancer à la tête. Nous pouvons seulement espérer qu'après avoir fait un bout de chemin elle reprendra ses esprits et reviendra. Pour tout dire, je compte que nous la retrouverons ici ce soir quand nous rentrerons de l'hippodrome.

— J'ai l'intention de partir directement du champ de courses pour Londres, dit-il avec froideur. Mon valet s'en ira dans ma voiture dès que les bagages seront prêts.

— Comme vous voudrez. Je serai à Londres demain, avec Calista, j'espère. Nous pouvons donc fixer un rendez-vous pour décider à quelle date l'annonce de vos fiançailles sera insérée dans la *Gazette*.

— Je resterai toute la journée chez moi.

Il s'inclina et sortit de la pièce avant que lady Chevington ait eu le temps de répondre.

En longeant le couloir, il s'avisa qu'il avait discerné une indéniable expression de triomphe dans ses grands yeux bleus et il fut possédé d'une envie folle de lui dire ce qu'il pensait de sa conduite.

Mais il possédait une grande maîtrise de soi et il savait que se mettre en colère ne l'avancerait à rien.

L'important, c'était de voir Calista et de lui parler

et comme c'était impossible, il n'avait plus qu'à rentrer à Londres sans plus tarder.

Il passa une journée pénible à l'hippodrome — il avait du mal à se concentrer sur les chevaux et finit par s'en aller avant la dernière course.

— Je ne comprends pas ce que tu as, Osric, dit non pas une mais plusieurs fois lord Yaxley. Je ne t'ai jamais vu d'une humeur aussi sinistre. On croirait que tu as perdu le Derby au lieu de le gagner.

Il ne lui donna pas d'explications.

Il conduisit sur la route du retour sans mot dire et à une allure plus rapide que d'ordinaire, aiguillonné par l'intuition qu'il avait besoin du confort et de la sécurité de sa propre maison.

A maintes reprises, il maudit en son for intérieur le jour où il avait mis le pied à Chevington Court.

Ce n'était pas lui seul qui souffrirait, mais aussi Calista; encore qu'il fût certain que si lady Chevington ne l'avait pas choisi comme victime, ç'aurait été quelqu'un d'autre qui n'aurait pas été plus acceptable pour sa fille.

Mais du moins n'aurait-il pas été impliqué personnellement dans l'aventure.

Il déposa devant chez lui lord Yaxley qui essayait toujours vainement de découvrir ce qui le tourmentait, puis continua jusqu'à Helstone House où il trouva Mr Grotham qui l'attendait avec un flot d'invitations, dont il ne désirait accepter aucune.

Il espérait à demi, tout en songeant que c'était peu probable, un message de Calista. Mais parmi les lettres posées sur son bureau, aucune n'était de l'écriture du billet qu'elle lui avait envoyé pour lui demander de venir la rejoindre au pont de la Serpentine.

« Où peut-elle bien être allée? » se demanda-t-il.

Cette question l'avait tarabusté toute la journée.

Il n'avait jamais réfléchi à ce que peut faire une jeune fille quand elle s'enfuit de chez elle.

Nombreuses, bien sûr, étaient les jeunes femmes qui échappaient à l'autorité paternelle en sortant la nuit par la fenêtre de leur chambre, mais elles avaient toujours quelqu'un pour tenir l'échelle et faire attendre à proximité une chaise de poste qui les conduise à Gretna Green (1).

Mais Calista était seule, sans autre compagnon que Centaure.

Il imaginait sans peine qu'avec sa beauté et l'allure remarquable de son cheval elle attirerait l'attention partout où elle passerait et quiconque la verrait estimerait étrange qu'elle soit sans chaperon.

Il regretta de ne pas s'être entretenu avec les palefreniers de lady Chevington avant de quitter Epsom.

Puis il réfléchit qu'ils ne lui en auraient pas dit plus qu'à leur maîtresse.

Le jour se levait aux alentours de 4 heures du matin, il le savait. Si Calista était partie à l'aube, elle avait eu quatre bonnes heures d'avance jusqu'à ce que l'on s'aperçoive qu'elle n'était pas dans son lit.

Avait-elle choisi le nord, le sud, l'est ou l'ouest?

Il était persuadé qu'elle n'irait pas à Londres. Mais parce qu'il était en souci d'elle et parce qu'il se sentait au fond une part de responsabilité dans l'affaire, il dépêcha un valet de pied à la résidence de lady Chevington dans Park Lane pour savoir si miss Calista ou son cheval y étaient arrivés dans la soirée.

La réponse fut qu'on ne l'avait pas vue, mais il se dit qu'il se tracassait inutilement. Après une nuit

_____

(1) Gretna Green : village d'Ecosse situé de l'autre côté de la frontière de l'Angleterre où l'on peut se marier sans formalités.

dans une auberge ou un relais de poste quelconque, voyons, que pouvait-elle faire sinon rentrer et affronter la tempête?

Cette hypothèse se révéla toutefois beaucoup trop optimiste, comme il le constata quand lady Chevington vint le voir à 3 heures le lendemain après-midi.

Il lut dans ses yeux une nette anxiété et la première question de sa visiteuse après qu'on l'eut annoncée fut :

— Avez-vous des nouvelles de Calista?

— C'est ce que j'allais vous demander, répliqua-t-il.

Extrêmement élégante dans une toilette à la dernière mode et coiffée d'un chapeau qui encadrait un visage naguère ravissant, lady Chevington s'assit et dit :

— Où croyez-vous qu'elle soit partie?

— Je n'en ai aucune idée. A-t-elle des amis auxquels vous ne pensez pas dans un endroit éloigné, en Cornouailles par exemple? Elle veut peut-être mettre le plus de distance possible entre elle et nous.

— Je ne vois vraiment pas qui. (Au bout d'un instant de silence, lady Chevington ajouta :) J'ai toujours maintenu mes enfants à l'écart, dans leur salle d'étude, jusqu'à ce qu'elles aient l'âge d'entrer dans le monde. J'ai horreur de cette période de l'adolescence, à demi mûre et désordonnée, où les filles sont toujours assommantes. Calista avait ses gouvernantes, ses moniteurs, ses professeurs, mais elle ne possédait pas beaucoup de relations ou d'amitiés de son âge.

« Voilà pourquoi elle avait pris pour ami un cheval et passait autant de temps avec lui », songea lord Helstone, et aussi pourquoi elle était si cultivée pour son âge, comme il en avait eu l'impression.

Mais il savait qu'il devait veiller à ne pas laisser voir qu'il avait eu avec Calista des contacts que sa mère ignorait. Par conséquent il ne dit rien et lady Chevington continua :

— Il faut absolument que nous la retrouvions! Elle doit être quelque part tout près de chez nous et des gens l'ont sûrement remarquée, de même que son cheval. A votre avis, devrions-nous faire appel à la police?

Lord Helstone réfléchit.

— Il y a un ancien sergent de ville maintenant à la retraite qui connaît bien la région. Voulez-vous que je lui en parle?

— Je vous en serais très obligée, répondit lady Chevington et, naturellement, il n'est pas question de lésiner sur les frais.

— Naturellement, acquiesça-t-il.

Ils se séparèrent avec froideur, mais lord Helstone eut conscience que lady Chevington était beaucoup plus bouleversée et inquiète au sujet de Calista qu'elle ne le montrait. Il se demanda si, au fond, elle se doutait qu'au contraire de ses deux autres filles Calista était prête à se rebeller contre son autorité.

Lord Helstone envoya chercher l'ancien sergent de ville, mais eut la déception de découvrir qu'il était atteint d'une arthrose de la hanche et ne pouvait être d'aucune utilité.

Il lui expliqua que Calista s'était enfuie et lui parla du cheval qu'elle montait.

— Avez-vous une idée de l'endroit où une jeune demoiselle comme elle pourrait se rendre?

— Votre Seigneurie dit que le cheval est caractéristique?

— Pas seulement caractéristique! Miss Chevington lui a enseigné des tours extraordinaires. J'en ai vu quelques-uns. Il vient quand on l'appelle. Il se tient juste hors de portée si quelqu'un d'autre qu'elle essaie de l'attraper. Il salue sur ordre! Je suis sûr qu'il a tout un répertoire dont il peut faire parade si besoin est.

— Alors, sûrement que cette jeune demoiselle, si elle manque d'argent, tâchera d'entrer dans un cirque, déclara l'ancien sergent de ville.

— Un cirque? s'exclama lord Helstone, stupéfait.

— Ils cherchent toujours des chevaux comme ça, et des cavaliers pour les exhiber.

— Mais comment diable prendrait-elle contact avec un cirque?

Le vieux sergent de ville sourit.

— Vous traversez trop vite la campagne quand vous voyagez, m'lord, sauf votre respect. Vous ne voyez pas ce qui se passe. La région est truffée de cirques à cette époque de l'année. Des grands, des petits. Certains si pauvres que les animaux souffrent, on ne devrait pas les autoriser. Mais ils peuvent planter leurs tentes n'importe où, ils ont toujours des spectateurs, ne serait-ce que pour rire des bouffonneries des clowns.

— Oui, je comprends, dit lord Helstone.

Il se rappelait maintenant avoir vu des tentes et des roulottes de cirque en allant à Newmarket ou à Epsom, mais il n'arrivait pas à imaginer Calista s'associant à ces vagabonds.

Néanmoins l'hypothèse n'était pas à rejeter.

— Si elle ne s'engage pas dans un cirque, m'lord, comment s'arrangera-t-elle pour vivre puisque vous me dites qu'elle n'a pas beaucoup d'argent? Elle trouvera peut-être des gens pour lui payer à manger, mais ils ne seront peut-être pas aussi disposés à nourrir le cheval!

L'idée de Calista à la merci du genre d'homme qui, avec une intention bien arrêtée, entrerait en conversation avec elle parce qu'elle était seule et lui offrirait à déjeuner irrita lord Helstone.

— Je vous suis très reconnaissant de vos suggestions, Robinson, conclut-il. Je regrette seulement que vous ne soyez pas en mesure de vous charger de rechercher cette jeune fille.

— Je peux dénicher pour Votre Seigneurie un jeune homme qui fera le même travail, au cas où vous en auriez besoin, m'lord.

— Je vais y réfléchir. Merci d'être venu me voir, Robinson.

Deux pièces d'or changèrent de main et l'ancien sergent de ville s'en alla en boitillant.

Lord Helstone s'assit à son bureau.

Un cirque, c'est ridicule, se dit-il, mais sinon quoi d'autre?

Trois jours passèrent.

Lady Chevington revint le voir et cette fois son masque était tombé — elle ne pouvait plus dissimuler son extrême inquiétude.

— J'ai examiné tous les détails de la disparition de Calista, annonça-t-elle. Nous avons découvert qu'elle portait son amazone d'été, qui est verte et ornée d'un galon blanc.

Il se rappela qu'elle était vêtue de ce costume quand il l'avait rencontrée pour la première fois dans le parc, mais il ne dit rien.

— ... Elle a aussi emporté ses deux robes de mousseline, des robes très simples, ce qu'elle porte le matin à la maison, et des sous-vêtements. Ils étaient roulés dans un châle blanc et fixés derrière sa selle. (Elle soupira.) Naturellement, mon palefrenier en chef n'était pas de service à une heure aussi matinale et Calista n'a pas voulu qu'on le réveille.

Elle a fait seller Centaure par un des garçons d'écurie qui est bien trop bête pour avoir songé à lui demander où elle allait. Il se souvient qu'elle l'a remercié avant de partir.

Lady Chevington se tut quelques secondes, puis ajouta :

— La femme de chambre attachée à Calista dit qu'elle n'avait au total dans sa bourse que trois souverains et quelques pièces d'argent. Elle n'a pris aucun bijou.

Le comte de Helstone resta silencieux. Au bout d'un instant, lady Chevington poursuivit d'un ton suppliant :

— Il faut que nous la retrouvions. Il se peut que vous ne le croyiez pas, mais j'aime mes filles et Calista peut-être plus que les autres. Elle ressemble plus que ses sœurs à mon mari.

Lord Helstone songea qu'elle avait une étrange façon de montrer son affection et s'apprêtait à le lui dire sans ambages. Puis il vit une expression de souffrance sur le visage de lady Chevington.

Une intuition soudaine lui fit comprendre qu'en poussant ses filles à contracter des mariages avantageux elle pensait non seulement à sa propre situation sociale, mais à celle qu'elle aurait aimé avoir à leur âge.

Elle s'efforçait de leur donner la sensation de sécurité et l'assurance dont elle avait toujours manqué parce qu'elle n'était pas née noble.

C'était un amour mal compris mais de l'amour quand même qui l'inspirait et pas uniquement le snobisme comme il l'avait cru tout d'abord.

— Je ne vois qu'une chose à faire, déclara-t-il au bout d'un moment. Il faut que je parte moi-même à la recherche de Calista.

— Vous voudriez vraiment vous en charger,

mylord? Je vous en serais infiniment reconnaissante.

C'était facile à dire, songea-t-il après le départ de lady Chevington, mais presque impossible à réaliser.

Par où commencer à chercher Calista? Il n'en avait aucune idée.

Toutefois comme cela lui donnait un but et assez curieusement la sensation de vivre une aventure, il annula ses rendez-vous.

Montant l'étalon noir pour qui il s'était pris d'affection, il s'en alla le lendemain en direction du sud, se proposant d'inspecter les cirques qu'il verrait en cours de route.

L'air du matin était vif, avec une brise d'une fraîcheur inattendue pour le mois de juin.

Ce temps frais rendait plus fringant l'étalon qu'il avait rebaptisé du nom grec d'Oreste. Ils se frayèrent un chemin à bonne allure parmi la circulation et furent bientôt en rase campagne.

Il coupa à travers champs, sans se préoccuper qu'il était sur la propriété d'autrui, afin de faire galoper Oreste sur la belle terre verdoyante. Il sauta avec élégance plusieurs hautes haies.

Il rencontra le premier cirque vers midi. Le premier d'une longue série, tous d'une similitude déprimante, il devait le constater.

Invariablement, il y avait un vieil éléphant blasé et trois ou quatre lions pelés, la plupart du temps trop apathiques et édentés pour être terrifiants sauf dans l'imagination des petits enfants.

En général, on voyait aussi un funambule qui marchait sur un fil au-dessus de la foule à qui il arrachait des cris d'effroi quand il oscillait sur la corde, rétablissant son équilibre d'une façon en apparence précaire au moyen d'ombrelles ou d'une longue perche.

Les acrobates différaient les uns des autres par la qualité de l'exécution, mais les numéros étaient toujours les mêmes.

Certains artistes étaient jeunes et agiles. Pour d'autres plus vieux le seul fait de se balancer sur un trapèze représentait un effort.

Les meilleurs cirques avaient une écurie de chevaux blancs ou pie; leurs crinières et leurs queues étaient longues et bien peignées, et lord Helstone devinait au brillant de leur pelage et à leur comportement qu'ils étaient bien nourris.

Par contre, dans les cirques plus petits et plus pauvres, les chevaux étaient aussi mauvais que les artistes et certains paraissaient à peine capables de porter les trois équilibristes qui sautaient sur leur dos et grimpaient ensuite sur les épaules les uns des autres.

Il eut l'impression que pour certains la mort serait une délivrance.

Mais dans tous les cirques le rire et la gaieté dépendaient des clowns. Géants, nains, déformés et déguisés, il y en avait toujours une demi-douzaine, parfois plus, et ils faisaient rire les enfants aux éclats.

Les grandes personnes aussi essuyaient les larmes d'hilarité qui leur montaient aux yeux quand les clowns gambadaient, se faisaient des croche-pieds, s'aspergeaient, couraient autour de la piste en s'accrochant à la queue des chevaux ou faisaient jaillir un œuf au bout du nez des enfants assis au premier rang.

Au bout de quatre jours passés à errer dans la campagne et à coucher dans la première auberge rencontrée à la tombée de la nuit, lord Helstone se dit qu'il faisait fausse route.

Avec sa beauté et son élégance, Calista ne cadrait

à ses yeux avec aucun des cirques qu'il avait inspectés sur les diverses places de village, pas plus qu'il ne voyait Centaure travailler avec leurs chevaux souvent mal soignés.

Il se dit qu'elle était peut-être maintenant de retour à Chevington Court ou à Londres et que plus vite il rentrerait pour s'en assurer mieux cela vaudrait.

Par ailleurs, il ne pouvait s'empêcher de reconnaître que, s'il n'avait pas été en souci de Calista, il aurait trouvé ces quelques derniers jours très agréables.

Il jouissait d'une liberté qu'il n'avait encore jamais connue loin de ses domestiques et employés, de son train de maison et de la compagnie de ses amis.

Il ne se rappelait pas avoir été seul si longtemps mais, chose curieuse, il ne s'était jamais senti de meilleure humeur.

Il savait que c'était dû en partie à la nourriture simple qu'il absorbait et aux longues heures d'exercice qu'il prenait.

En chevauchant Oreste à travers champs, il avait l'impression que l'étalon était aussi heureux que lui.

Oreste n'avait peut-être pas l'air aussi bien étrillé, sa selle et sa bride n'étaient pas aussi bien astiquées qu'au départ de Londres, mais ils étaient comme soulagés l'un et l'autre d'avoir échappé à la routine de leur existence soigneusement réglée.

Il se dit que néanmoins il lui fallait rentrer.

Calista devait être retrouvée à présent et il était sûr que son personnel et bon nombre de ses amis, dont lord Yaxley, s'inquiétaient à son sujet.

Il revint par le pays de Hertford, bouclant un long circuit de recherches à travers les autres comtés dont Epsom avait été le pivot.

Il arriva à 6 heures du soir à Potters Bar, qu'il connaissait de nom parce qu'une célèbre foire aux chevaux s'y tenait chaque année.

Il calcula qu'il serait dans une heure à Londres. Quand il tourna la tête d'Oreste en direction de la grande route, il aperçut les tentes d'un cirque.

Un cirque plus important que ceux qu'il avait rencontrés ces deux derniers jours.

Le chapiteau, comme on appelle la grande tente où a lieu la représentation, était planté au milieu d'un champ, entouré par d'autres tentes, des roulottes et des camions qui transportaient les cages de la ménagerie.

Une représentation était en cours et le premier mouvement de lord Helstone fut de continuer son chemin parce que l'heure s'avançait.

Puis il réfléchit que cela vaudrait quand même la peine de faire cette dernière vérification pour éliminer l'hypothèse du policier, selon laquelle Calista avait trouvé refuge dans un cirque.

Il ne voulait pas laisser Oreste à proximité du chapiteau de crainte qu'il ne s'énerve à la sortie des enfants en fin de séance. L'étalon avait la manie de donner des coups de pied par-derrière et il savait qu'en approcher trop près était dangereux.

Avisant un petit bois au bout du champ, il se dirigea dans cette direction.

En arrivant sous le couvert des arbres, il se rendit compte qu'un petit garçon l'avait suivi.

Il était vêtu très pauvrement mais il avait l'air honnête.

— Veux-tu me garder mon cheval? lui demanda-t-il.

Le gamin eut un sourire radieux.

— Ouais, Sir. J'prendrai bien soin de lui.

— N'y manque pas et je te donnerai un shilling à mon retour.

Les yeux du gamin s'illuminèrent de joie.

— Un shilling, Sir? Vous avez dit... un shilling?

— Un shilling si tu restes avec le cheval et ne permets à personne d'y toucher. Laisse-le brouter mais tiens-le par la bride.

— C'est c'que je f'rai, Sir.

Lord Helstone mit pied à terre et plaça la bride dans la main du garçonnet.

Oreste avait parcouru une longue route et il était sûr que l'étalon serait calme.

Il se dirigea vers le chapiteau. En approchant, il entendit des acclamations et une tempête de rires. Il comprit que les clowns étaient en piste.

Il éprouva soudain de la fatigue et ne se sentit pas le courage d'assister à une nouvelle représentation tirée en longueur de lions et d'acrobates, de funambules et de cavaleries sans intérêt.

Debout dans l'entrée, il regardait à l'intérieur du chapiteau quand une voix lança avec autorité :

— Six pence les meilleures places et deux pence et demi les autres.

— Avez-vous des numéros exceptionnels? questionna-t-il. Ou un cheval qui se distingue particulièrement?

Le contrôleur qui vendait les billets s'apprêtait à répliquer : « Prenez un billet et vous le saurez », mais ayant regardé le comte plus attentivement il changea d'avis.

— Nous avons quelque chose de sensationnel, Sir.

— Qu'est-ce que c'est? dit-il sans beaucoup d'enthousiasme.

— La Dame masquée et son complice presque humain.

Lord Helstone se figea sur place.

— Le numéro va passer dans deux minutes, Sir.

Il posa un shilling sur le comptoir devant le contrôleur et, oubliant de réclamer la monnaie, entra sous le chapiteau où il s'assit sur le premier siège libre.

Les clowns sortaient de piste à ce moment-là, en se bousculant, suivis d'un géant sur échasses qui était visiblement le favori des enfants.

Comme ils disparaissaient, le maître de manège, resplendissant dans sa redingote rouge, sa culotte blanche et son chapeau noir, entra sur la piste, un fouet à la main.

— Mesdames et messieurs! commença-t-il d'une voix de stentor. Nous avons le grand privilège et l'honneur de vous présenter ce soir un numéro unique, un numéro extraordinaire exécuté par une Dame mystérieuse avec son complice qui ressemble à un cheval mais qui est à moitié humain... Mesdames et messieurs... permettez-moi de vous annoncer La Dame masquée et son complice presque humain.

Une salve d'applaudissements éclata et Calista fit son entrée.

Elle portait un costume de cheval rouge, orné d'étoiles et de sequins d'argent. Un masque de velours noir bordé de dentelle à la mode vénitienne dissimulait presque complètement son visage, mais lord Helstone savait qu'il aurait reconnu n'importe où sa silhouette et sa splendide maîtrise en selle.

Centaure aussi était déguisé. L'étoile blanche avait disparu de son front et aussi ses balzanes. Il était maintenant tout noir, mais sa robe était luisante et sa crinière comme sa queue avaient été méticuleusement peignées.

Calista lui fit faire le tour de la piste puis exécuter ses tours.

Ils fascinèrent lord Helstone, de même que le

public qui resta figé dans une immobilité attentive et un silence religieux.

Centaure se dressa sur ses jambes de derrière, il s'agenouilla et coucha sa tête sur le sol, il dansa, il exécuta une douzaine d'autres tours que Calista lui avait enseignés avec une grâce qui rappela à lord Helstone les célèbres étalons blancs de l'Académie espagnole de Vienne.

Tandis que les applaudissements éclataient, une diligence en carton entra sur la piste, mue par des hommes qui marchaient à l'intérieur.

Il y avait un cocher sur le siège et elle était tirée par un petit poney d'aspect assez misérable.

Calista sortit un pistolet de sa poche de poitrine et arrêta la diligence.

Les passagers protestèrent et au même moment Centaure saisit entre ses dents ce qui était censé être une sacoche pleine d'or et l'emporta pour la donner à un pauvre vieillard au bord de la piste.

Les enfants hurlèrent de joie en battant des mains. Les passagers sortirent de la diligence en braquant leurs fusils sur Calista et Centaure.

La jeune fille amena Centaure au bord de la piste juste à côté du comte.

— Du calme, petit! l'entendit-il dire.

Puis, comme tous les fusils étaient pointés vers eux, le cheval s'élança au galop à travers la piste, sauta d'un bond spectaculaire par-dessus la pseudo-diligence et disparut.

Il y eut un tonnerre d'applaudissements. Calista et Centaure revinrent, le cheval saluant comme il avait salué lord Helstone près de la Serpentine.

Il s'inclina à droite, à gauche, au centre. Puis cheval et cavalière s'en allèrent à nouveau et le numéro suivant entra en piste.

C'était un Hercule — brun, arrogant et musclé —

en collant et tunique pailletée qui, le comte de Helstone le savait maintenant par expérience, non seulement soulèverait des poids mais aussi porterait sur sa tête et ses épaules trois, quatre, peut-être six personnes.

Il attendit le début du numéro et sortit.

Il devait à présent rejoindre Calista et, ce qui était encore plus important, la persuader de revenir avec lui.

Il fit le tour du chapiteau et découvrit derrière, comme il pouvait s'y attendre, les cages contenant la ménagerie : des lions et des tigres.

Ils paraissaient plus jeunes et en meilleure condition physique que ceux qu'il avait vus dans d'autres cirques.

Il y avait un grand nombre de chevaux qui venaient de terminer leur numéro ou se préparaient à entrer en piste.

Dans ce cirque, c'étaient des chevaux pie avec des têtières ornées de plumets, des brides et des selles de couleur qui leur donnaient fière allure.

Personne ne prêta attention à lord Helstone quand il s'engagea entre les roulottes, certaines peintes à la mode gitane, d'autres portant le nom du cirque inscrit en grosses lettres.

Au milieu des tentes résonnait un brouhaha de voix, de gens qui se hâtaient, de garçons de piste portant des éléments de décor au chapiteau, de chiens qui aboyaient, bref un fond sonore de bruits et d'agitation.

Lord Helstone continua son chemin et finit par apercevoir Calista.

Elle parlait à des femmes rassemblées devant leurs roulottes, les unes assises sur les marches, d'autres sur l'herbe, toutes vêtues de couleurs vives.

Calista avait enlevé son chapeau et son masque

mais portait toujours son costume de scène qui, même de loin, semblait maintenant à lord Helstone pauvre et criard, une fois hors du chapiteau.

Les femmes riaient de quelque chose qu'elle disait.

Il s'éloigna. Il n'avait aucune envie de se présenter à Calista devant d'autres personnes et risquer de la bouleverser.

Il se posta à l'écart pour attendre et bientôt il la vit quitter le groupe des femmes et se diriger vers une petite roulotte peinte qui se trouvait un peu éloignée des autres, en fait juste à la limite du campement.

Il la suivit et constata que Centaure attendait la jeune fille.

Il entendit Calista dire, en arrivant à la roulotte :

— Je vais me changer d'abord.

Comme si le cheval l'avait comprise, il resta au pied des marches en se contentant de battre l'air de sa queue parce que les mouches le tourmentaient.

Lord Helstone attendit aussi, sans quitter la roulotte des yeux, guettant pour se rapprocher le moment où il aurait une chance de s'entretenir seul à seule avec Calista.

Elle apparut en haut des marches habillée de ce qui lui sembla être une longue jupe de gitane rouge vif et un corsage blanc avec un châle sur les épaules.

Puis, à l'instant où il s'apprêtait à la rejoindre, un homme survint — grand et mince en costume de clown, le visage blanc, la bouche comme une balafre rouge.

— Dessellerai-je Centaure pour vous, *chère* (1)?

_____

(1) En français dans le texte.

Il parlait avec un accent qui donna à lord Helstone la certitude qu'il était français.

— Merci Coco, répondit Calista, mais il ne faut pas que cela vous mette en retard pour votre entrée.

— Je passe après Manzani, répliqua le clown, et nous savons bien, *hélas* (1), oui, nous savons quel temps infini il prend pour saluer.

Calista rit.

— Il aime les applaudissements!

— Il en redemande, non?

Calista rit de nouveau.

— Nous aimons tous qu'on nous apprécie.

— Vous, chère, *vous étiez merveilleuse ce soir* (1).

— Merci, Coco.

Le clown avait détaché la selle de Centaure. Il la déposa à l'intérieur de la roulotte, près de la porte.

Calista enleva la bride et Centaure, avec un bond pour prouver qu'il avait encore de la vitalité à revendre, s'éloigna vers un endroit où l'herbe était plus belle.

Un vacarme d'applaudissements retentit sous le chapiteau.

— Oh, il faut que vous partiez, Coco, dit Calista d'une voix inquiète.

Le clown se rendit compte qu'il avait tout juste le temps d'arriver. Il tourna les talons et s'élança au pas de course entre les tentes et les roulottes, retenant en place à deux mains son chapeau haut de forme.

Peu après, une fois de plus au moment précis où lord Helstone s'apprêtait à marcher vers Calista, un autre homme surgit.

Il portait un long manteau rouge sur son collant pailleté et lord Helstone le reconnut aussitôt —

(1) En français dans le texte.

c'était l'Hercule qu'il avait vu entrer en piste.

Un bel homme en vérité, qui s'avançait vers Calista.

— Vous avez dû remporter un grand succès, Manzani, dit celle-ci. J'ai entendu les applaudissements.

— Nous avons tous les deux du succès, répliqua Manzani.

Il parlait avec un léger accent et d'une voix profonde empreinte d'une certaine suffisance qui agaça lord Helstone.

— Je veux vous parler.

Calista secoua la tête.

— Il faut que je me repose. Avez-vous oublié que nous reprenons la route dans la soirée? Nous resterons éveillés toute la nuit.

— Je vous aiderai.

— Je me débrouillerai, merci.

— Je tiens à vous aider. Vous savez que je veux toujours vous aider.

— Vous êtes très aimable, mais je me débrouille fort bien toute seule.

— Aucune femme ne peut se débrouiller seule, déclara Manzani. Ensemble nous formerons une bonne équipe. Bientôt nous quitterons ce cirque minable et nous nous engagerons dans un des grands. On sera ravi de nous avoir et nous serons riches, très riches!

— C'est gentil à vous, Manzani, mais je préfère travailler seule.

— Cela, je ne le souffrirai pas.

Pendant qu'ils parlaient, lord Helstone s'était rapproché en se dissimulant derrière les autres roulottes.

Il entendait à présent tout ce qu'ils disaient et il voyait aussi l'expression de malaise de Calista.

— Vous viendrez avec moi, poursuivit l'Hercule en ouvrant les bras. Vous serez ma femme et nous vivrons heureux, très heureux ensemble.

— Non! s'écria Calista.

Elle eut un mouvement de recul pour se réfugier dans sa roulotte, mais Manzani allongea ses bras nus et l'empoigna.

Il l'attira contre lui et elle poussa un léger cri.

Lord Helstone s'avança vers eux d'un pas décidé.

— Arrêtez! ordonna-t-il. Laissez cette dame tranquille!

5

La surprise rendit Calista et Manzani muets pendant une seconde. Puis, tandis que l'Hercule se retournait pour dévisager lord Helstone, Calista dit à voix basse :

— Comment m'avez-vous retrouvée?

Au lieu de répondre à sa question, il s'approcha et déclara posément :

— Je suis venu pour vous ramener chez vous, Calista.

Manzani se planta soudain devant lui.

— Filez! s'écria-t-il. Vous voyez bien que vous êtes de trop!

— J'ai des droits antérieurs sur cette dame, répondit le comte sans se démonter.

— Cela reste à voir, rétorqua Manzani.

Et sans crier gare il décocha un coup de poing que lord Helstone n'évita de recevoir en pleine figure qu'en reculant d'un pas.

Le coup l'atteignit à l'épaule et le fit chanceler. Il avait à peine eu le temps de retrouver son équilibre que Manzani frappa de nouveau.

Cette fois, il était prêt et para l'attaque. Ils se battaient à présent pour de bon, Manzani avec une violence et un mépris total envers les règles du combat loyal qui était déjà à lui seul effrayant.

Il était plus fort, plus lourd et possédait plus d'allonge que lord Helstone, lequel avait le handicap supplémentaire de porter des bottes étroites à la Souvaroff dont la semelle glissait sur l'herbe humide et une veste en whipcord dont la coupe très ajustée entravait ses mouvements.

Il n'en parvint pas moins à assener à Manzani un coup sur le côté du visage qui rendit l'homme furieux.

Les gens du cirque savaient que l'Hercule se mettait facilement en colère et qu'il rudoyait tous ceux qui travaillaient avec lui.

Il avait maintenant une expression mauvaise en se précipitant sur son adversaire et en le saisissant à bras-le-corps pour tenter de l'étouffer.

Formidable étreinte digne d'un ours que celle de cet homme habitué à exercer ses muscles surdéveloppés jusqu'à la limite de leur force. Pendant un instant, lord Helstone sentit le souffle lui manquer et ses côtes craquer.

Puis il parvint à se dégager mais alors son pied glissa et Manzani lui décocha un terrible coup du droit en pleine figure suivi d'un crochet du gauche à la pointe du menton.

Il tomba à la renverse.

Calista poussa un cri d'horreur. Puis elle vit Manzani se pencher sur le corps de son adversaire inconscient avec l'intention, dans sa rage, de lui marteler le visage et la poitrine.

Au moment où l'Hercule prenait son élan pour frapper son rival prostré, il reçut un coup sur la nuque qui le projeta en avant, suivi d'un second coup qui le fit s'affaler à plat ventre dans l'herbe.

Calista jeta le piquet de tente avec lequel elle avait assommé Manzani et s'agenouilla auprès de lord Helstone.

Ses yeux étaient fermés et un filet de sang coulait sur son menton.

Elle le contempla en se demandant quoi faire jusqu'à ce qu'une voix connue dise :

— Que s'est-il passé, *chère?*

Elle leva les yeux et dit avec un léger sanglot :

— Aidez-moi... je vous en prie, Coco, aidez-moi.

— Qui est-ce?

Calista n'hésita qu'une seconde.

— Mon mari.

— Votre mari? Manzani le tuera quand il aura repris connaissance.

— Oui, je sais. Il faut que nous l'emportions ailleurs.

Elle essuya avec son mouchoir le sang qui zébrait le menton de lord Helstone, puis se redressa.

— Son cheval doit être attaché dans le voisinage. S'il vous plaît, Coco, allez le chercher, dit-elle d'un ton pressant.

Le clown retira son haut-de-forme et, essuyant son maquillage sur sa manche, s'éloigna en hâte.

Calista siffla doucement et peu après Centaure arriva au trot.

Elle ramassa sa bride sur le plancher de la roulotte, la mit en place, posa la selle sur son dos et en fixa les sangles.

Elle jeta ensuite un bref coup d'œil aux deux hommes prostrés et entra dans la roulotte pour emballer tout ce qu'elle possédait dans le châle qui lui avait servi à emporter ses affaires en quittant Chevington Court.

Le temps manquait pour les arranger soigneusement en rouleau et les arrimer derrière la selle. Calista se contenta de nouer les quatre coins du châle et, se penchant hors de la roulotte, elle l'accrocha au pommeau de sa selle.

Comme Coco n'était pas encore de retour, elle rentra se changer et enfila avec des mains tremblantes l'amazone verte qu'elle portait en partant de chez elle.

Elle avait fini de s'habiller et tenait à la main son chapeau orné d'un long voile quand elle entendit la voix de Coco. Elle sortit et le vit approcher en compagnie d'un petit garçon pauvrement vêtu qui conduisait l'étalon de lord Helstone.

Le clown remarqua que Centaure était sellé et que Calista avait son costume de cheval.

— *Hélas!* Vous partez avec lui? questionna-t-il.

— Il le faut, Coco, mais je n'y parviendrai pas sans votre aide. Il est hors d'état de monter à cheval.

Elle vit se serrer les lèvres du Français. Il posa sur elle un regard suppliant en disant à voix basse :

— Vous savez bien que je ferai tout ce que vous me demanderez.

Elle le remercia d'un petit sourire soucieux et s'adressa au gamin :

— Y a-t-il une auberge confortable près d'ici? demanda-t-elle.

— Le monsieur là, dit l'enfant en désignant lord Helstone, m'a promis un shilling pour surveiller son cheval.

— Je t'en donnerai deux si tu nous conduis à une auberge.

— Deux! s'exclama le gamin, Merci bien, m'dame. Vous avez *le Chien et le Canard* au village.

Calista se rappela avoir vu l'établissement peu engageant quand ils avaient traversé Potters Bar.

— Il n'en existe pas une autre dans le voisinage?

— Y a bien le r'lais de poste. A un demi-mille d'ici sur la grand-route.

— C'est là que nous irons, décida la jeune fille.

Elle se tourna vers Coco.

— Il faut que nous placions... mon... mon mari sur la selle et que vous montiez derrière lui pour le soutenir.

Elle crut sur le moment qu'il allait refuser puis, avec le plus grand mal, en s'y mettant à trois, petit garçon compris, en faisant appel à toutes leurs forces, ils parvinrent à soulever de terre lord Helstone et à le hisser sur l'étalon.

Heureusement, Oreste avait plus envie de brouter que de folâtrer ou de se dérober comme il y aurait probablement été enclin plus tôt dans la journée.

Ils installèrent tant bien que mal lord Helstone à califourchon et, comme Calista l'avait demandé, Coco monta derrière lui et le tint dans ses bras.

Il fallait surtout savoir garder son assiette, mais le clown, Calista le savait, était bon cavalier et jouait souvent le rôle d'écuyer en plus de celui de clown quand on manquait de personnel pour une représentation.

Finalement, ils furent prêts à partir. Au bruit des applaudissements sous le chapiteau et de la musique que jouait bruyamment la fanfare, Calista comprit que la séance touchait à sa fin.

— Allons-nous-en! dit-elle d'une voix anxieuse.

Tirant l'étalon par la bride, le petit garçon les conduisit à travers champs. Calista suivait sur Centaure.

Elle avait terriblement peur que quelqu'un les voie partir et tente de les en empêcher ou du moins demande ce qui était arrivé à Manzani.

Il gisait à l'endroit où il était tombé, couvert de son manteau rouge dont la couleur vive risquait d'attirer l'attention des gens qui s'approchaient pour voir ce que c'était.

Ils eurent de la chance, toutefois, car la compagnie presque entière du cirque, après le salut final, ne se préoccupait que de quitter le chapiteau avec les chevaux et la même *mêlée* (1) et le même tumulte que d'ordinaire régnaient au milieu des tentes et des roulottes.

A l'autre extrémité du chapiteau, le public sortait. Des gamins s'interpellaient, criaient et imitaient les clowns tandis que leurs parents, maintenant que la séance était terminée, se montraient pressés de rentrer chez eux.

Au bout du champ, Calista aperçut une haute haie qui les masquerait aux regards curieux. Quand ils y arrivèrent, elle jeta un coup d'œil en arrière et se dit qu'un chapitre de sa vie, étrange mais intéressant, venait de s'achever.

C'était pur hasard si elle était entrée en rapport avec le cirque du Grand Carmo, dans un champ aux abords de Guildford, le jour où elle s'était enfuie de chez elle.

Elle avait déjà parcouru douze ou quinze milles et elle cherchait une auberge où faire boire Centaure et se restaurer.

Elle s'était cependant laissée arrêter par la vue des chevaux pie qui évoluaient dans le pré pendant qu'on montait un chapiteau.

Ils se suivaient à la queue leu leu autour d'une

(1) En français dans le texte.

piste imaginaire et elle se rendit compte qu'ils étaient bien dressés.

Elle observa avec attention la façon dont ils tournaient au commandement ou au claquement du fouet.

Le maître de manège qui était aussi le propriétaire du cirque, remarqua Calista, comme on pouvait s'y attendre, et alla lui parler. Il admira Centaure et demanda si elle aimerait assister à la représentation de l'après-midi.

Elle l'interrogea sur la méthode de dressage qu'il utilisait pour ses chevaux.

Parce qu'il répondit à ses questions et qu'elle trouva cela intéressant, elle fit exécuter à Centaure quelques-uns des tours qu'elle lui avait enseignés, entre autres sa danse sur les jambes de derrière.

— Qui êtes-vous, jeune dame? questionna le maître de manège après l'avoir félicitée pour l'habileté de Centaure. Et où allez-vous?

— Je ne suis personne d'important et pour le moment je ne vais nulle part, avait répondu Calista.

Il ne demanda rien d'autre et elle apprit par la suite que les gens du voyage ne montrent jamais ouvertement leur curiosité et s'abstiennent de poser des questions indiscrètes.

— En ce cas, pourquoi ne pas vous joindre à nous? avait proposé le maître de manège.

Calista crut d'abord qu'il plaisantait. Puis quand elle comprit qu'il parlait sérieusement elle se dit que ce serait une solution temporaire à ses problèmes.

Elle ne pensait pas que sa mère — ou lord Helstone, s'il s'en souciait — irait la chercher dans un cirque et elle se rendait compte que sa présence et celle de Centaure susciteraient des commentaires s'ils séjournaient seuls dans des auberges, quelque isolées que fussent celles-ci.

Il y avait une autre difficulté qu'elle n'avait commencé vraiment à envisager que lorsqu'elle était déjà assez loin de chez elle.

Le manque d'argent!

Elle avait toujours été tellement chaperonnée par des gouvernantes, des secrétaires, des serviteurs de toutes sortes et par sa mère qu'elle n'avait jamais rien eu à payer nulle part.

Elle ne s'était donc pas rendu compte que pour ne pas mourir de faim, elle et Centaure, il lui faudrait beaucoup plus d'argent qu'elle n'en avait sur elle quand elle s'était enfuie comme une folle tant elle avait honte de ce qui était arrivé la veille au soir.

Tandis que s'accroissait la distance qui la séparait d'Epsom, elle s'était dit qu'elle aurait dû au moins emporter ses bijoux qu'elle aurait pu vendre. Mais elle avait tellement tenu à disparaître pour ne pas avoir à affronter le comte de Helstone après ce qui s'était passé qu'elle avait agi avec une bêtise incroyable et lourde de conséquences, elle le voyait à présent.

La proposition du maître du manège — du « patron » comme tous l'appelaient, Calista l'apprit par la suite — offrait une solution à ses difficultés et quand elle eut fait la connaissance des autres membres du cirque elle commença à savourer le pittoresque de sa nouvelle vie.

Elle n'avait évidemment pas prévu l'effet qu'elle produirait sur eux parce qu'elle était jeune et de surcroît très jolie.

Coco était tombé amoureux d'elle au premier regard, et elle lui était reconnaissante de son dévouement, de l'aide qu'il lui offrait pour étriller Centaure et installer sa roulotte comme elle le préférait, à l'écart du bruit et des bavardages des autres femmes.

La situation se présentait tout autrement avec Manzani, mélange volcanique de Tchèque et de Turc qui s'affublait d'un nom italien parce que cela lui paraissait plus romantique.

C'était un homme susceptible, jaloux et un peu cruel dont Calista avait peur.

Elle s'efforçait de l'éviter, mais ce n'était pas facile et elle s'était dit plus d'une fois qu'elle serait obligée de demander au patron en personne qu'il intervienne pour que Manzani la laisse en paix.

C'était vraiment fâcheux, pensait-elle à présent, que lord Helstone soit arrivé juste au moment où Manzani déclarait ses intentions plus nettement que jamais.

En traversant les deux autres champs derrière l'étalon, elle se demanda avec désespoir si lord Helstone lui pardonnerait de l'avoir entraîné dans une situation aussi déplaisante, aussi humiliante.

Il était très bon pugiliste, elle en avait la conviction, mais pas de taille à se mesurer avec un homme comme Manzani qui avait participé toute sa vie à des bagarres sans souci de code d'honneur ou de courtoisie.

Elle avait conscience aussi qu'il avait été handicapé par ses vêtements et ses bottes à la Souvaroff.

Néanmoins elle savait qu'il serait mortifié d'avoir été vaincu par un forain et d'avoir été incapable, si courageusement qu'il l'ait tenté, de la défendre contre les avances de Manzani.

Elle ne pouvait rien pour le moment, songea-t-elle, sinon faire de son mieux pour le soigner et le guérir.

Elle espérait seulement qu'il n'avait pas été grièvement blessé par Manzani, tout en connaissant sa force exceptionnelle et la puissance de son étreinte.

Deux ou trois soirées auparavant, elle l'avait vu

tuer à moitié un soldat ivre qui était venu au cirque avec plusieurs camarades. Ils avaient ponctué chaque numéro de plaisanteries et de quolibets.

Ils s'étaient esclaffés à l'entrée de Manzani et avaient mis bruyamment sa force en doute d'une voix avinée.

Manzani les avait attendus à la sortie.

Il les avait attaqués tous à la fois, trois s'étaient enfuis ou plutôt s'étaient éloignés en titubant dès qu'ils avaient pu s'esquiver, mais le quatrième lui avait tenu tête et Manzani l'avait assommé, le laissant inanimé et perdant son sang dans un fossé.

. Le relais de poste apparut et Calista rattrapa les autres en disant :

— Je passe devant pour prévenir afin qu'on soit prêt à nous recevoir.

Sans attendre la réponse de Coco, elle mit Centaure au trot et entra dans la cour du relais. Au palefrenier qui s'approchait, elle déclara avec autorité :

— Je désire voir tout de suite le propriétaire!

Celui-ci avait dû l'apercevoir par la fenêtre car lorsqu'elle fut descendue de cheval il l'attendait à la porte et la salua.

Calista s'était coiffée de son chapeau orné d'un voile de gaze pendant qu'ils traversaient les champs et bien qu'elle fût un peu échevelée l'élégance de son amazone et l'allure racée de Centaure inspiraient sans aucun doute le respect.

— Etes-vous le maître de la maison? questionna-t-elle.

— Oui, madame. Ce sera un bonheur de vous recevoir.

— Je ne suis pas seule, expliqua Calista. Mon mari et moi, nous avons été assaillis par des voleurs de grand chemin comme nous rentrions de Londres.

Il s'est défendu bravement mais aurait été tué si nous n'avions été secourus par des forains qui passaient. Un de ceux qui nous ont assistés va amener mon mari ici et je serais heureuse que vous prépariez votre meilleure chambre et envoyiez chercher un médecin.

— Bien sûr, madame, bien sûr! dit l'aubergiste en s'inclinant. Ces voleurs ne sont que trop connus par ici. Ils terrorisent le voisinage et les autorités devraient les pourchasser. Mais nous ferons tout ce qui est en notre pouvoir pour vous servir, vous et votre mari.

— Merci, répondit Calista avec dignité.

Au même instant l'étalon entra dans la cour et l'aubergiste vit le comte de Helstone que Coco soutenait sur sa selle.

En dépit du fait que son menton était maintenant inondé de sang, que sa tête ballottait sur sa poitrine et qu'il avait un œil fermé par suite du coup que Manzani lui avait décoché, il avait encore l'air distingué et était manifestement un homme de qualité.

L'aubergiste appela un garçon et un porteur qui descendirent le blessé de la selle et le transportèrent dans la maison.

Coco mit pied à terre et Calista ordonna aux palefreniers de conduire les deux chevaux à l'écurie et de veiller à ce qu'ils aient à boire et à manger quand on les aurait dessellés.

Ouvrant sa bourse, elle y prit un florin pour le gamin. Avant de le lui donner, elle dit :

— Veux-tu me promettre de ne souffler mot à personne de ce que tu as vu au cirque et de l'endroit où l'on peut nous trouver?

— C'est juré, m'dame, répliqua le gamin qui louchait sur le florin.

Elle le lui déposa dans le creux de la paume et il

s'éclipsa comme s'il avait un peu peur qu'elle le lui reprenne.

Calista tendit la main à Coco.

— Merci, Coco, dit-elle à mi-voix.

— Vous reverrai-je jamais, chère? demanda-t-il, et la jeune fille vit du chagrin dans ses yeux.

— Je penserai toujours à vous avec reconnaissance, répliqua-t-elle.

Il poussa un soupir de désespoir comme s'il se rendait compte que protester serait inutile. Puis il lui baisa la main.

— J'espère que ce ne sera pas la dernière fois que nous nous voyons, dit-il. *Au revoir.*

— *Au revoir, Coco,* dit Calista. Je garderai de vous le souvenir d'un bon et véritable ami.

Elle s'en alla parce qu'elle ne pouvait pas supporter la douleur qu'elle lisait sur son visage et entra dans l'auberge sans se retourner.

L'hôtelier et ses serviteurs avaient monté lord Helstone à l'étage. Ils étaient en train de le déshabiller sur un vaste lit dans une chambre aux poutres apparentes, assez basse de plafond, qui n'était pas sans charme.

La fenêtre en saillie surplombait un jardin à l'arrière de l'auberge et une perspective de champs et de bois qui s'étendaient à perte de vue jusqu'à l'horizon.

Calista entendit une voix de femme annoncer : « J'ai envoyé chercher le médecin, ma'am », et découvrit une paysanne fraîche et rondelette qui lui faisait la révérence et qu'elle supposa être l'épouse de l'hôtelier.

Elle tenait à la main le châle blanc de Calista et un portemanteau qui, elle le devina, avait été attaché à la selle d'Oreste et contenait le nécessaire de voyage de lord Helstone.

— Je suis vraiment désolée, ma'am, pour sûr, d'apprendre ce qui est arrivé à votre mari, déclara d'un ton compatissant la femme de l'aubergiste. Ces bandits devraient être pendus, c'est tout ce qu'ils méritent!

— Oui, en effet. Nous avons eu la chance de nous en tirer vivants.

Tout en parlant, elle remarqua que les yeux de son hôtesse se posaient sur sa main dégantée et elle ajouta vivement :

— Ils m'ont pris tous mes bijoux, y compris mon alliance, mais mon mari a réagi avant qu'ils aient eu le temps de le dépouiller de sa bourse.

Elle pensait que l'aubergiste serait soulagé de savoir qu'il serait payé et elle était sûre que lord Helstone n'avait pas été aussi stupide qu'elle et ne s'était pas mis en route sans une somme d'argent suffisante.

— C'est une honte, il n'y a pas d'autre mot! s'exclama l'hôtesse. Une alliance, ma'am, c'est ce que chérissent toutes les femmes, modestes ou grandes dames, et qu'on ne peut pas remplacer.

— C'est vrai, acquiesça Calista avec un petit soupir.

Elle jeta un coup d'œil par-dessus son épaule et vit que le comte était maintenant couché.

— Je me demande si vous n'auriez pas une chambre proche de celle-ci où je pourrai dormir? dit-elle. Je suis sûre qu'il faut que mon mari ait du repos et ne soit pas dérangé, mais naturellement je désire être assez près de lui pour le veiller.

— Je comprends très bien, ma'am. Il y a justement un petit cabinet de toilette attenant à cette chambre. Ce sont les messieurs qui l'occupent d'habitude mais peut-être qu'il vous conviendra jusqu'à ce que votre mari aille mieux.

Elle ouvrit la porte tout en parlant et Calista aperçut une chambre beaucoup plus grande que la roulotte où elle avait dormi et elle affirma à l'hôtelière que cela lui convenait à merveille.

S'apercevant qu'elle regardait avec curiosité le châle blanc, la jeune fille ajouta :

— Les voleurs ont éparpillé tout ce que j'avais avec moi sur la route. J'espère avoir ramassé l'essentiel, mais je serais heureuse que mes deux robes soient repassées et vous avez sûrement un valet de chambre qui pourra s'occuper des affaires de mon mari, n'est-ce pas?

On lui assura que l'auberge était à même de fournir un service complet.

Puis comme l'aubergiste s'apprêtait à se retirer, Calista le remercia.

— Puis-je savoir votre nom, ma'am? questionnat-il.

— Oui, bien sûr. C'est Helstone. Mr et Mrs Helstone. Nous habitons Londres, mon mari et moi.

— Le médecin ne tardera pas, ma'am, et je pense qu'après sa visite un souper ne sera pas de refus?

— Oh, non! dit Calista.

Les hommes qui avaient monté lord Helstone dans la chambre sortirent à l'exception du valet, un petit homme mince, sec et nerveux qui prévint la jeune fille qu'il restait à sa disposition à tout moment et qu'elle n'aurait qu'à l'appeler si elle avait besoin de lui.

Finalement il s'en alla à son tour et Calista ferma la porte puis revint près du lit et examina lord Helstone.

Tandis qu'ils avaient traversé les champs, son œil avait enflé dans des proportions effrayantes, mais elle savait que le dommage causé n'était pas aussi grave qu'à la poitrine.

Difficile toutefois de juger de cette gravité avant

que le médecin l'ait examiné. Alors Calista entra dans la pièce voisine pour enlever son chapeau et se recoiffer.

Puis elle retourna s'asseoir près du lit, les yeux fixés sur le visage de lord Helstone.

Une fatalité semblait vouloir les empêcher de s'éviter, songea-t-elle.

Elle avait fait son possible pour qu'il n'entre pas dans sa vie mais il n'avait pas tenu compte de l'avertissement. Maintenant il était là de nouveau, après qu'elle avait pris la fuite pour les tirer d'affaire l'un et l'autre, et elle ne pouvait que le soigner et veiller à ce qu'il se rétablisse.

Se contenter d'envoyer chercher sa voiture et ses domestiques et lui infliger l'humiliation d'être vu par eux en cet état était impensable, elle le savait.

Comme elle savait qu'il y aurait trop d'explications à donner si elle disparaissait simplement à nouveau.

La seule façon de réparer ce qui était en fait entièrement la faute de sa mère, c'était de garder secret vis-à-vis de tout le monde ce qui s'était passé.

Le médecin vint plus vite qu'elle n'y comptait.

Il se révéla un praticien de campagne bourru, grand amateur de chasse à courre, habitué à soigner les chutes de cheval et très ferré sur tout ce qui concerne les os.

Il examina lord Helstone.

— Mrs Helstone, je suis prêt à parier une jolie somme que votre mari, qui est un beau spécimen d'homme, n'a rien de très grave, à part peut-être une ou deux côtes cassées! Je vais le bander. Il sera mal à l'aise pendant quelque temps, mais il n'en gardera aucune séquelle.

— J'en suis heureuse! Vous ne croyez pas qu'il a la mâchoire brisée?

Le médecin sourit.

— Il aura un œil au beurre noir qui gâtera son charme, répliqua-t-il, et il n'aura aucune envie de rire pendant plusieurs jours. Mais il a de la chance que ces malandrins du diable, excusez l'expression, ne lui aient pas cassé le nez.

— Le nez?

— Le dernier passant qu'ils ont assailli a eu le nez fracassé et un bras dans le plâtre pendant six semaines.

Il banda très serré la poitrine de lord Helstone, dit à Calista d'enduire ses meurtrissures avec de la graisse d'oie et promit de passer le lendemain.

— Combien de temps demeurera-t-il inconscient? questionna-t-elle.

Le médecin haussa les épaules. Il l'avertit :

— Il se sentira très mal en point quand il reprendra ses esprits. Alors plus longtemps il restera dans le brouillard mieux cela vaudra. Je vais vous laisser un peu de laudanum au cas où il s'agiterait cette nuit. Cela ne lui fera pas de mal et il va souffrir de se retrouver troussé comme une volaille.

Il rit de sa plaisanterie, donna à Calista une petite fiole de laudanum et descendit au rez-de-chaussée où elle l'entendit bavarder avec l'aubergiste avant de s'en aller.

Elle ôta son amazone pour mettre une de ses robes de mousseline toutes simples qu'on lui avait repassées et descendit dîner seule dans le salon particulier.

Le valet de chambre veilla le comte de Helstone pendant son absence et quand elle remonta après le repas il l'informa que l'état du malade était inchangé.

Calista commanda de la citronnade pour le cas où il s'éveillerait la nuit et aurait soif. Puis parce que la journée avait été longue et qu'elle se sentait très lasse, elle se déshabilla dans la petite pièce attenante et se prépara à se coucher.

Elle avait heureusement emporté de chez elle une robe de chambre légère en coton à porter sur sa chemise de nuit de fine mousseline. Elle l'avait enfilée et se brossait les cheveux devant la glace quand elle entendit un faible bruit.

Elle courut dans la chambre et trouva lord Helstone qui gémissait et tentait de se retourner d'un côté sur l'autre.

Elle se pencha pour lui tâter le front et constata qu'il n'avait pas de fièvre.

Elle pensa cependant que son cerveau commençait à percevoir la souffrance de sa poitrine écrasée par l'étreinte féroce de Manzani.

Effectivement, quelques minutes plus tard, la paupière du seul œil qu'il pouvait ouvrir frémit et son regard se posa sur elle.

— Vous êtes en sécurité, chuchota la jeune fille. Vous avez été blessé mais vous êtes hors de danger.

Comme si le son de sa voix l'avait rassuré, il referma l'œil, mais au bout d'un instant il demanda avec peine :

— Où... suis...-je?

— Nous sommes dans une auberge. Avez-vous soif?

Il émit un son que Calista interpréta comme un acquiescement et elle porta à ses lèvres le verre de citronnade, lui soulevant la tête avec son autre bras.

Elle se rendit compte qu'ouvrir la bouche le faisait souffrir et que sa lèvre était fendue. C'est de là que provenait le sang qui avait coulé sur son menton.

Il ne voulut que quelques gorgées et elle le recoucha avec précaution sur l'oreiller.

Il la regardait, mais elle ne savait pas s'il réfléchissait à ce qu'elle avait dit ou s'il avait l'esprit encore trop embrumé pour comprendre quoi que ce soit.

– Au bout d'un instant, il se rendormit.

Lord Helstone ouvrit les yeux et eut conscience de sortir d'un long sommeil. Il se dit qu'il avait dû beaucoup dormir au cours de ces deux derniers jours.

Il était encore mal en point : remuer lui causait une douleur atroce dans la poitrine et parler lui était toujours pénible. Il sentait néanmoins que son état s'était amélioré, bien qu'il eût souffert le martyre depuis quarante-huit heures.

Son œil en particulier était très douloureux.

Quand le valet de chambre l'avait rasé, il avait vu dans la glace l'ecchymose bleue et jaune qui lui couvrait la moitié de la joue et virait au pourpre autour de l'œil. Elle lui faisait une tête épouvantable.

Dès qu'il bougea, Calista se leva de la banquette près de la fenêtre d'où elle contemplait le jardin et s'approcha.

– Allez-vous mieux? demanda-t-elle à mi-voix. Vous dormez depuis midi et il est maintenant 4 heures.

Elle savait qu'il avait de la difficulté à s'exprimer, c'est pourquoi elle s'efforçait de prévenir ses questions.

Depuis deux jours, la conversation entre eux avait été réduite au minimum. Calista demandait s'il voulait boire, s'il avait envie de manger quelque chose, si la douleur s'était atténuée. Il répondait en hochant ou secouant légèrement la tête.

Toutefois le médecin, quand il était venu le matin, s'était déclaré très satisfait de son malade.

— Votre mari était dans une condition physique remarquable, expliqua-t-il à Calista, et c'est ce qui compte le plus quand quelqu'un est aussi sauvagement frappé. Ne vous tracassez pas, Mrs Helstone. Il sera sur pied dans une semaine.

Calista n'avait pu s'empêcher de se demander comment lord Helstone réagirait en se voyant confiné à la chambre pendant huit jours encore.

Elle se douta qu'il avait les côtes plus endommagées que le médecin ne l'avait pensé d'abord et l'expérience des accidents de cheval lui avait appris qu'il est dangereux de reprendre trop tôt ses activités.

Elle s'assit au bord du lit et dit en souriant :

— Vous allez mieux, mais je sais que parler vous est encore pénible, alors c'est moi qui vais m'en charger avec votre permission.

L'expression dans les yeux de lord Helstone lui parut encourageante et elle poursuivit :

— Il faut vous dépêcher de guérir. J'ai beaucoup de choses à vous raconter. Vraiment sensationnelles! (Se rendant compte qu'elle avait éveillé son intérêt, elle continua :) Au cirque où j'étais, un des clowns — un Français — possédait des livres qu'il avait apportés de son pays. L'un d'eux contenait l'histoire de Godolphin Arabian.

Elle s'arrêta, puis demanda :

— Etes-vous trop fatigué pour que je vous la dise?

Il eut un mouvement de tête négatif à peine perceptible.

— Quand je l'ai lue, j'ai été navrée à l'idée que je n'aurais jamais l'occasion de vous revoir pour vous en parler. Vous la connaissez peut-être en partie mais pour moi c'était de la nouveauté.

Il ne cessa de l'observer pendant qu'elle commençait ses explications.

— A l'origine, Godolphin Arabian s'appelait Scham. C'était un cheval arabe qui avait été offert au roi Louis XV par le bey de Tunis en 1731. Un esclave appelé Agba qui le soignait depuis le temps où il était poulain et qui était sourd-muet avait accompagné Scham et les sept autres chevaux arabes qui faisaient partie du cadeau du bey.

Les yeux de Calista brillaient et sa voix était tout animée en racontant que le roi de France se montrait non seulement piètre cavalier mais aussi timoré à cheval, alors que Scham était un animal vif et plein de feu.

Le roi avait ordonné à son grand écuyer de se débarrasser de tous ses chevaux arabes, si bien que Scham et Agba tombèrent entre les mains d'un transporteur de bois.

Le ton de Calista se fit plus grave en relatant que le charretier s'était révélé la plus méprisable brute de toute la ville de Paris, d'une cruauté incroyable, si bien qu'Agba et Scham avaient dû travailler nuit et jour pour gagner leur pitance.

Ils étaient réduits à la portion congrue et battus continuellement. Ils ne trouvèrent de consolation à leur misère que dans l'amitié d'un petit chat que Scham avait pris en affection et léchait du bout de la langue. Les animaux devinrent inséparables.

— Puis la chance tourna, continua la jeune fille. L'année suivante, en janvier, la rue Dauphine à Paris avait été rendue glissante par le verglas et un rassemblement s'était formé pour regarder un charretier qui fouettait et donnait sans merci des coups de pied à un cheval tombé à terre.

Un sanglot lui étrangla la voix.

— Il s'était affaissé entre les brancards d'un fardier chargé de trop de bois pour ses forces. Par bonheur, un certain Edward Coke, un Anglais, vint à passer. Il vit le corps martyrisé et ensanglanté du cheval, et un petit homme à la peau brune qui s'était couché sur l'animal pour lui servir de bouclier et parer les coups.

» Mr Coke, qui était quaker, acheta le cheval par bonté et en guise d'action de grâces pour remercier Dieu à l'occasion de la naissance d'un petit-fils. Quand il partit pour l'Angleterre, il découvrit qu'il avait acquis non seulement un cheval mais aussi un homme et un chat!

Calista ajouta que, malheureusement, une fois en Angleterre et l'étalon rétabli dans sa beauté native, sa robe baie soyeuse luisante de santé, il refusa de se laisser toucher ou monter par personne d'autre qu'Agba.

Ce refus se traduisit par des manifestations violentes de hargne et, après que plusieurs candidats cavaliers eurent été blessés, Mr Coke perdit patience.

A ce point de son récit, Calista joignit les mains et de nouveau un sanglot vibra dans sa voix.

— Une fois de plus, le magnifique animal et son fidèle Agba connurent des mauvais jours.

» Leur nouveau propriétaire, un certain Mr Rodgers, battait le cheval et Agba se jeta sur lui. Agba fut arrêté et enfermé dans la prison de Newgate.

» Puis le hasard changea encore leur destin du tout au tout!

L'histoire du cheval et du petit homme à la peau sombre qui l'aimait si fort fut racontée à Sarah Jennings, duchesse de Marlborough, expliqua Calista. Touchée, elle se rendit à Newgate avec son beau-fils lord Godolphin et ils parvinrent à faire libérer Agba.

Le Bédouin les conduisit à l'écurie qui abritait Scham et Lord Godolphin, qui s'intéressait à la race arabe, acheta l'étalon de Mr Rodgers.

Cependant sa nouvelle acquisition n'avait pas fait grande impression sur lord Godolphin. Il mit Scham au vert et n'y pensa plus.

Mais Agba croyait à la destinée de Scham qui lui semblait indiquée par un croissant blanc sur la couronne de son sabot arrière droit.

Le Bédouin s'arrangea pour que Scham — à présent connu sous le nom de Godolphin Arabian parce qu'à cette époque les chevaux prenaient le nom de leur propriétaire — couvre en secret Rozana, une jument illustre.

Quand on s'en aperçut, Scham et Agba furent exilés dans un domaine éloigné jusqu'à ce que le poulain de Rozana, appelé Lath, se révèle un cheval si extraordinaire qu'Agba fut pardonné.

Calista poussa un profond soupir et dit :

— Vous connaissez la suite. Ne trouvez-vous pas que c'est l'histoire la plus passionnante, la plus émouvante du monde?

— Je suis très heureux que vous me l'ayez racontée.

— Godolphin Arabian est mort à vingt-neuf ans, conclut la jeune fille, juste avant le chat. Agba ne leur a pas survécu longtemps.

C'est une histoire dont Calista reparla et discuta souvent dans les jours qui suivirent.

Lord Helstone allait de mieux en mieux et il se rendit compte que jamais encore il ne s'était autant amusé qu'en écoutant Calista s'enthousiasmer pour les chevaux et les anecdotes qu'elle lui contait sur eux.

Les jours passaient paisiblement lorsqu'un matin Calista entra un journal à la main. Elle revenait de faire prendre de l'exercice aux chevaux.

Elle montait deux fois par jour pendant une heure et demie, Centaure le matin et Oreste le même temps l'après-midi.

Dès qu'il put s'exprimer avec autorité, lord Helstone avait exigé d'elle la promesse de ne pas dépasser les champs autour de l'auberge.

— Vous avez peur que les gens du cirque me voient? avait répliqué la jeune fille. Ils sont partis le soir où nous nous sommes installés ici. Ce n'est pas eux qui voudraient causer des ennuis à quelqu'un ou poseraient des questions indiscrètes.

— L'homme qui m'a molesté pourrait vous rechercher, objecta lord Helstone. (Il vit l'expression de Calista s'assombrir et ajouta :) Comment avez-vous pu commettre cette extravagance, cette folie, de vous en aller seule sans la moindre protection et, si je ne m'abuse, sans argent?

— Je reconnais que c'était stupide de ma part. Je n'a pas pensé que j'aurais besoin d'argent.

— Cela se révèle utile en toutes circonstances mais principalement quand on se trouve hors de chez soi, commenta-t-il sèchement.

Calista sourit.

— Voila pourquoi j'ai été contente de voir que votre bourse était bien garnie quand nous sommes venus ici! Mais qu'auriez-vous fait si des voleurs avaient vidé vos poches?

— Je pense que je me serais débrouillé.

Calista le regarda en penchant légèrement la tête de côté.

— J'ai l'impression que vous êtes capable de toujours vous tirer d'affaire. Je ne dirais pas cela de la plupart des gens fortunés.

— Je suis heureux que vous ayez une aussi haute opinion de mes capacités. Je n'en ai pas autant à votre service. Vous n'auriez pas dû disparaître comme vous l'avez fait!

Calista détourna les yeux.

— J'estimais que je ne pouvais pas agir autrement. J'avais trop honte de la conduite de maman!

— Vous doutiez-vous de ses projets?

— Puisque vous partiez le lendemain, il ne restait plus grand temps. C'était donc certain qu'elle tenterait quelque chose pour nous jeter dans les bras l'un de l'autre.

— Alors vous avez prétendu être enrhumée?

— Exactement. J'ai attendu que maman soit descendue dîner avant de lui faire dire que je m'étais couchée. Je pensais qu'elle ne pourrait rien contre nous si je restais dans ma chambre. Mais elle m'a jouée!

— Comment s'y est-elle prise?

— Quand les dames ont laissé les messieurs dans la salle à manger, maman est montée dans ma chambre un verre de potion à la main. Elle m'a dit : « Je ne crois pas que tu sois enrhumée, Calista. Je suis sûre que tu aurais pu prendre sur toi pour descendre dîner ce soir. Je sais que tu tiens à aller aux courses demain. Eh bien, si tu ne bois pas cette tisane qui a assez mauvais goût mais qui est très efficace, tu resteras au lit et je ne t'autoriserai pas à mettre le pied hors de la maison. » (Calista se tut un instant.) J'avais déjà bu des tisanes de maman, continua-t-elle, et elles sont en effet très désagréables. Mais j'aurais absorbé n'importe quoi plutôt que de manquer les courses!

— Alors vous avez avalé ce qui était manifestement un somnifère.

— Je l'ai bu parce que je pensais que nous ne courions pas grand risque d'être entraînés dans une situation scabreuse sur un hippodrome. Je finissais le verre quand j'ai vu dans les yeux de maman une expression qui m'a terrifiée. Je lui ai demandé : « Qu'est-ce que tu m'as donné? Elle a répondu :

— Quelque chose qui te fera du bien. » Elle est sortie de la pièce peu après et j'ai dû m'endormir.

— Je suis obligé de convenir que votre mère est ingénieuse.

— Comment a-t-elle pu me faire une chose pareille? s'écria Calista. Je ne lui pardonnerai jamais... jamais!

— Quelqu'un vous a transportée dans ma chambre et déposée sur mon lit, dit lord Helstone. C'est impossible que ce soit votre mère.

— Je suppose que ce sont ses femmes de chambre. Elle en a deux — d'horribles créatures qui nous ont toujours espionnées quand nous étions petites et qui rapportaient à maman tout ce que nous faisions. Elles lui auraient obéi même si maman leur avait demandé de me découper en petits morceaux et de me jeter dans le lac.

Calista resta silencieuse un instant, puis questionna avec anxiété :

— Vous n'avez pas cru que j'étais de mèche avec elle?

— Bien sûr que non! Mais j'estime toujours, Calista, que vous auriez dû rester pour affronter les conséquences plutôt que de vous enfuir de cette façon imprudente.

— A franchement parler, c'était une aventure! répliqua la jeune fille en souriant. J'aurais aimé que vous voyiez comme Centaure jouait bien son rôle quand il était en piste. Il enthousiasmait le public.

— Je l'ai vu. J'ai assisté à votre numéro avant d'aller vous rejoindre à votre roulotte.

— Centaure était bon, n'est-ce pas?

— Excellent!

— Vous sentez-vous suffisamment remis à présent pour apprendre des nouvelles assez désagréables?

— Qu'est-ce que vous avez encore fait? questionna lord Helstone, mais il ne paraissait guère inquiet.

— Votre cheval, si vous en avez inscrit un, n'a pas gagné la Coupe d'Or à Ascot.

— Bonté divine! J'avais oublié Ascot. Qui a gagné?

— Grey Momus de lord Bentinck.

— Eh bien, bravo pour George! s'exclama-t-il. Pas étonnant qu'il tenait tant à ce que je garde Delos pour le St. Leger!

— Et Bestian, le cheval du duc de Portland, a gagné le Prix du Palais St. James. Qu'est-il arrivé à vos chevaux?

— Pour tout vous avouer, j'étais tellement soucieux à cause de vous que, bien que j'aie eu l'intention d'engager Zeus ou Périclès, j'ai retardé leur inscription si bien qu'aucun d'eux n'a couru.

— C'est donc ma faute! Vous avez tant de choses à me reprocher que je me demande pourquoi vous m'adressez encore la parole!

— Je vous trouve une infirmière des plus efficaces.

— J'en suis contente, dit-elle à voix basse, parce que j'éprouve du remords de causer tant de bouleversement dans votre vie, je vous assure.

— Je suis sûr que mes rivaux étaient enchantés de ne pas me voir à Ascot et ravis aussi que mes chevaux n'y soient pas non plus, répondit-il d'un ton léger.

— Mais vous auriez pu gagner la Coupe d'Or, reprit Calista tristement. Et la reine était là. Les journaux en ont parlé.

— Epargnez-moi les potins mondains. Je préfère de beaucoup entendre encore vos anecdotes sur les arabes et les barbes.

— J'en connais pas mal. Une partie de celles que

je vous ai rapportées sont apocryphes, je crois, mais j'ai tâché de réunir tous les renseignements que j'ai pu sur les chevaux depuis ma quinzième année. J'aimerais vous montrer un jour l'album que j'ai composé avec ce que j'ai relevé dans des livres et des vieux journaux et ce que les palefreniers m'ont raconté. (Après un petit silence, elle ajouta :) Mais je n'aurai jamais la possibilité de le faire, n'est-ce pas?... si je ne retourne pas à la maison.

— Vous allez rentrer, déclara lord Helstone d'un ton sans réplique. Je vous reconduirai et je pense que votre mère sera tellement heureuse de vous voir qu'elle ne se fâchera pas.

— Vous plaisantez?

— Votre mère était réellement inquiète pour vous, Calista, et elle m'a confié que de tous ses enfants vous étiez celle qu'elle chérissait par-dessus tout parce que c'est vous qui ressembliez le plus à votre père.

Calista ouvrit de grands yeux.

— J'aurais été bien contente si vous m'aviez dit cela il y a trois ans. J'aimais et j'admirais maman à cette époque et je ne souhaitais rien tant qu'être aimée d'elle, mais à présent...

— A présent? répéta-t-il pour l'inciter à continuer.

— Je ne peux pas lui pardonner d'avoir essayé de nous contraindre au mariage, de m'avoir donné un somnifère et d'avoir tenté de vous prendre au piège par cette affreuse traîtrise. (Elle se tut un instant, puis demanda :) Avez-vous été écœuré? Ou étiez-vous dans une colère folle?

Il sourit.

— Je crois que sur le moment j'étais si abasourdi et décontenancé que je ne me sentais pas aussi fâché que j'aurais dû l'être. L'audace du stratagème m'avait coupé le souffle.

— Qu'ont pensé lord Bentinck et lord Palmerston?

— Ils ne me l'ont pas dit.

— Vous devez bien en avoir une idée.

— C'est possible, mais je n'ai pas l'intention de vous le confier. Je veux vous ramener chez vous dès que je serai assez rétabli pour voyager, Calista, et je suis sûr que très peu de gens seront au courant de cette escapade.

Il vit l'expression qui se peignit sur son visage et s'exclama :

— Bonté divine, mon petit! Vous ne pouvez pas ruiner votre vie entière parce que votre mère a mis en scène une remarquable comédie et gagné ce faisant mille guinées.

Calista le considéra un instant, puis elle se leva et alla à la fenêtre.

— Estimez-vous sérieusement que je doive vous épouser? questionna-t-elle d'une voix étranglée.

— En toute franchise, nous n'avons pas d'autre solution. Et comme nous nous entendons très bien, Calista, j'ai le sentiment que notre union sera très agréable.

Elle ne répondit pas et au bout d'un instant il reprit :

— Nous avons beaucoup de goûts en commun, notamment pour les chevaux. Je pense que mes projets d'élevage pour les étalons que j'ai déjà mis au pré et mon écurie de courses ont de quoi vous intéresser. (Il ajouta en souriant :) Avec votre encouragement, j'élèverai peut-être même un cheval qui gagnera 862 courses comme Eclipse ou 1 042 comme King Herod.

— Ce serait une belle réussite, convint Calista d'une voix étouffée, mais vous pourriez le faire sans moi.

— Je crois que ce serait amusant pour nous deux de le faire ensemble. Et franchement, Calista, je peux dire en toute sincérité que, s'il faut me marier, je préfère encore que ce soit avec vous plutôt qu'avec aucune des femmes que je connais.

— Merci, mais vous savez aussi bien que moi que ce n'est pas la même chose que de s'aimer.

— Comment le savez-vous si vous n'avez jamais été amoureuse?

— Notre intuition ou peut-être notre cœur nous permet à tous deux de pressentir ce que ce doit être.

— Néanmoins, je suis persuadé qu'une union basée sur une confiance mutuelle, sur des goûts partagés et surtout sur la résolution bien comprise de se rendre heureux l'un l'autre ne peut qu'être réussie.

Calista ne répondit pas et il se recoucha sur ses oreillers en regardant le soleil de l'après-midi allumer des reflets roux dans ses cheveux.

Il la devinait chagrinée et mal à l'aise mais décida de ne pas en dire plus pour le moment et de ne même pas essayer de la convaincre qu'elle devait agir conformément à la raison.

Il avait l'impression qu'elle était comme un cheval pas encore accoutumé à la bride et que l'on doit donc amener par la douceur plutôt que par la contrainte à faire ce qu'on attend de lui.

En dehors de son courage et de son dédain des conventions qui étaient parties intégrantes de son caractère, il y avait en elle une sensibilité et un idéalisme qu'il n'avait jamais remarqués jusque-là chez aucune femme de sa connaissance.

« Elle ressent les choses beaucoup plus profondément qu'elle ne l'avouera jamais », se dit-il — et il se surprit à se demander quels pouvaient être les sentiments de Calista à son égard.

Pour la première fois de sa vie, il s'interrogeait

sur la place qu'il occupait dans les pensées d'une femme.

6

— A vous de jouer! dit lord Helstone.

La jeune fille sursauta comme si son esprit s'était égaré bien loin, puis elle examina avec attention l'échiquier et s'aperçut qu'elle était dans une position vulnérable.

— A quoi pensiez-vous? questionna-t-il au bout d'une minute.

Elle lui sourit.

— Je songeais à Oreste et je me demandais si vous aviez l'intention de lui faire faire souche.

— N'avez-vous donc que les chevaux en tête? s'exclama-t-il avec un peu d'irritation.

— Ils me fascinent. Je me disais hier soir que j'avais été sotte de ne pas demander à Coco de me donner le livre français dans lequel j'ai découvert l'histoire de Godolphin Arabian. Il y avait d'autres récits que j'aurais aimé vous lire.

Elle resta silencieuse un instant comme si elle essayait de se les rappeler, puis elle déclara :

— Coco me l'aurait donné parce que...

Elle s'arrêta et au bout d'un instant il dit pour l'inciter à continuer :

— Parce que quoi?

— Oh, rien, répliqua-t-elle d'un ton dégagé en baissant les yeux vers l'échiquier.

— Je pense que vous alliez dire : parce qu'il était amoureux de moi, reprit-il après un silence. C'est vrai, n'est-ce pas?

Il observait le visage de la jeune fille et vit le rouge lui monter aux joues.

— Oui, c'est vrai, finit-elle par répondre, mais il était très gentil et ne me faisait pas peur comme Manzani.

— Vous a-t-il embrassée?

La voix de lord Helstone était sèche.

— Bien sûr que non!

— Alors comment savez-vous qu'il vous aimait? Vous l'a-t-il dit?

— Je... c'était évident d'après ce qu'il faisait pour moi et la façon dont... il parlait. Je savais qu'il avait conscience que nous étions issus de milieux très différents et que... je n'étais pas une professionnelle du cirque.

— Il aurait été stupide s'il en avait jugé autrement, mais je veux que vous m'expliquiez ce qu'était cette amourette.

— Ce n'était pas une amourette! protesta Calista avec vivacité, et vous n'avez pas le droit de me poser des questions.

— J'en ai parfaitement le droit et en tant que votre futur mari cela m'intéresse, naturellement.

Calista fut un certain temps avant de répondre :

— On pense toujours que les clowns sont des gens frustes, vulgaires. Il y en a beaucoup comme ça mais Coco était... différent. Peut-être cela tenait-il à ce qu'il est français.

— Différent en quoi? demanda lord Helstone d'un ton pressant.

— Je... je ne peux pas très bien l'expliquer... Pas sans paraître vaniteuse.

— Essayez!

— Eh bien, reprit-elle avec hésitation comme si elle cherchait ses mots, je pense que Coco me croyait son... idéal. Il lisait beaucoup et adorait la

153

poésie. Il m'a récité quelques poèmes et tous avaient pour sujet un homme qui soupire après l'inaccessible... après quelque chose dont son cœur et son âme connaissent l'existence mais qu'il sait ne jamais devoir trouver.

— Vous croyez donc que vous étiez pour ce garçon ce qu'il cherchait?

Calista ne répondit pas.

Elle regardait vers la fenêtre par où entrait le soleil.

— Je vous ai posé une question, insista-t-il.

— Je ne savais pas que... que c'était si pénible de faire du chagrin à quelqu'un, murmura la jeune fille. Quand j'ai dit au revoir à Coco après qu'il vous a amené ici, la souffrance qu'exprimaient ses yeux était... presque intolérable.

— Il m'a amené ici?

— Comment croyez-vous donc que j'aie pu faire pour vous éloigner du cirque? Je savais que Manzani, lorsqu'il aurait repris connaissance, voudrait vous tuer.

— Pourquoi avait-il perdu connaissance?

— Parce que je l'ai frappé à la nuque avec un piquet de tente.

Il la dévisagea avec stupéfaction.

— Quand il vous a mis hors de combat, expliqua-t-elle, il aurait continué à vous bourrer de coups de poing et de pied. Manzani était comme ça quand la colère le prenait.

— Alors vous l'avez assommé!

— Je... j'avais un piquet de tente en fonte juste à... à l'intérieur de la roulotte.

— Pourquoi?

Elle battit des paupières et tarda à répondre.

— J'avais peur.

— De lui?

— Oui... il avait essayé d'ouvrir la porte de ma roulotte la veille au soir. Je l'avais fermée au verrou, mais la serrure n'était pas très robuste et il n'aurait pas eu grand mal à la forcer.

Lord Helstone garda un instant le silence.

— Ainsi le clown a réussi là où j'ai échoué et il vous a sauvé.

— Je me suis sauvée toute seule! rétorqua la jeune fille. Mais ce qu'il y avait de difficile c'était de vous emmener. Coco est allé chercher votre cheval et, avec l'aide du petit garçon qui surveillait Oreste pour vous, nous vous avons hissé sur son dos. Puis Coco s'est mis à califourchon derrière vous pour vous maintenir en selle jusqu'à ce que nous arrivions à l'auberge.

— Je suppose que je dois lui en être reconnaissant, commenta lord Helstone un peu à contrecœur.

— Il ne recherchait pas votre gratitude. Il l'a fait pour moi.

— C'est évident! (Il poursuivit sans la quitter des yeux :) J'imagine que c'est la première fois qu'un homme était amoureux de vous ou tout au moins que vous vous en êtes rendu compte. Qu'en avez-vous pensé?

Calista étudia la question presque comme si elle était impersonnelle.

— Je crois que... je me suis sentie honorée et plutôt flattée, répondit-elle après réflexion. En même temps, j'étais navrée de lui causer de la peine.

— Etiez-vous sûre dès le début que c'est ce que vous finiriez par faire? Ou avez-vous pensé peut-être d'abord que vous pourriez l'aimer aussi?

— Non, je ne l'ai pas pensé mais pas comme vous pourriez l'imaginer parce que c'était un clown. Coco était le fils d'un avoué français. Son père désirait qu'il travaille avec lui dans son cabinet — je ne sais pas exactement le nom qu'on donne au bureau de ces gens-là en France — et il avait accepté. (Elle poussa un petit soupir.) Malheureusement le père de Coco était un homme brutal qui battait sa femme. Il l'a battue une fois de trop et Coco lui a sauté dessus, l'a blessé et presque tué.

— Il paraît un monsieur aussi dangereux que votre autre admirateur, commenta lord Helstone d'un ton sarcastique.

— Coco défendait simplement sa mère, protesta la jeune fille. Ordinairement il est calme, gentil et poétique. Quand il s'est rendu compte que son père était grièvement blessé, il a compris qu'il ne pouvait plus rester chez ses parents. Il est parti avec l'intention de devenir comédien.

Calista soupira de nouveau.

— Il m'a raconté qu'il avait tenté en vain sa chance dans un théâtre ou l'autre et finalement il a eu l'idée d'entrer dans un cirque. Il travaillait dans un cirque en France depuis un an quand il a appris qu'un des numéros devait venir en Angleterre se produire au *Great Carmo Circus* et il s'y est fait engager. C'est un bon acteur. Le patron l'appréciait.

— Comme vous.

Calista eut un geste des mains.

— Il possédait une culture rare dans ce milieu. La plupart étaient incapables de lire ou d'écrire. C'était donc inévitable, je suppose, que nous nous trouvions des points communs.

— S'ajoutant au fait que vous êtes une ravissante jeune femme, dit lord Helstone d'une voix à nouveau sarcastique.

— J'ai l'impression que vous me critiquez, reprit Calista au bout d'un instant. Ce n'est pas ma faute si Coco est tombé amoureux de moi ou si Manzani me poursuivait de ses assiduités.

— Pas votre faute? A qui la faute si vous vous trouviez dans ce cirque? Vous rendez-vous compte des ennuis qui vous attendaient si vous étiez restée?

Calista ne répondit pas et il poursuivit :

— Vous imaginez-vous que le poétique Coco aurait été capable de vous protéger contre Manzani?

Il vit à son expression qu'elle y avait déjà pensé.

— Je n'avais pas envisagé... de complications de cet ordre, dit-elle d'une voix mal assurée. Quand le patron a proposé que je vienne avec Centaure travailler dans son cirque, cela m'a paru une occasion inespérée de gagner de l'argent et de me cacher de maman.

Elle regarda lord Helstone et ajouta d'un ton accusateur :

— Maman ne m'aurait jamais découverte. Je me demande vraiment pourquoi vous vous en êtes mêlé!

— Etes-vous encore trop naïve pour comprendre que c'est une chance que je sois arrivé à ce moment-là? Savez-vous ce que Manzani voulait de vous?

— Il voulait... que je vive avec lui comme si j'étais son épouse..., répliqua la jeune fille avec hésitation. Et c'est une chose que je n'aurais jamais faite... parce que je le détestais.

— Auriez-vous eu le choix?

Elle blêmit et répliqua :

— Je m'étais toujours imaginé, quand j'étais à la maison, que j'étais capable de me débrouiller seule, mais... c'était épouvantable de n'avoir que soi sur qui compter.

— Cela ne vous arrivera plus jamais et je pense, Calista, que lorsque vous direz vos prières, comme vous le faites je suppose, vous devriez en réciter une d'action de grâces pour être sortie saine et sauve de cette aventure regrettable.

— N'empêche que je ne la regrette pas! riposta la jeune fille. J'ai appris beaucoup de choses sur les gens, sur leur gentillesse, leur courage et leur endurance! J'ai vu aussi l'intérêt sincère que la plupart des artistes de cirque portent à leurs animaux. (Elle poursuivit d'une voix enthousiaste :) Par exemple, le dompteur de tigres les aimait vraiment. Ils grondaient avec des airs féroces quand ils étaient en piste mais ils le laissaient s'asseoir avec eux dans leur cage et il brossait leur pelage tout en leur parlant. (Elle sourit.) Les gens du voyage appellent ces bêtes sauvages des « chats » et c'est bien vrai qu'elles se conduisent comme eux.

— Je vous trouve d'une imprudence invraisemblable, mais je ne peux qu'admirer votre courage. Je n'imagine pas une autre femme de ma connaissance travaillant dans un cirque et y prenant plaisir.

— J'adorais entendre applaudir Centaure, avoua la jeune fille, et c'était assez exaltant quand les enfants hurlaient de joie au moment où il s'emparait de la sacoche pleine d'or et la donnait au pauvre vêtu de guenilles.

— Comment lui avez-vous appris ce tour?

— Centaure comprend tout ce que je lui dis.

Lord Helstone se mit à rire.

— Il y a une chose dont je suis sûr, Calista, c'est que tous les hommes qui tomberont amoureux de vous, et aussi votre mari, découvriront que leur rival le plus sérieux est Centaure!

Calista le dévisagea d'un air quelque peu interdit et, comme pour se faire pardonner son interrogatoire, il demanda :

— Vous dites que les gens du cirque appellent leurs félins des chats. Je pense qu'ils ont un vocabulaire particulier.

— Coco me l'a expliqué. Dans tous les pays, les gens du cirque ont leur propre langue qu'ils tiennent jalousement secrète.

— Pourquoi?

— Pour pouvoir discuter de leurs affaires personnelles devant les *flatties,* c'est-à-dire les personnes étrangères à la profession comme vous, sans que l'on sache de quoi ils parlent.

— Je vois que votre album va s'enrichir, commenta-t-il en souriant. Dites-moi quelques-unes de ces expressions.

— Les chiens savants sont des *slanging-buffers. Palari* signifie parler et une *Dona* c'est une femme.

— L'origine de certains de ces mots se devine.

— Coco disait que l'argot du cirque en Angleterre est un mélange de tzigane, d'italien, de mots prononcés à rebours ou assemblés pour leur sonorité. La langue tzigane, bien sûr, est d'origine orientale.

— Je le savais, en effet. Dites-moi d'autres mots.

— *Denari* signifie argent. *Cushy,* le mot pour plaisant, dérive directement du tzigane et quand il y avait des Bohémiens parmi le personnel du cirque ils appelaient les chevaux *grei* mais la plupart des gens du cirque les appellent *prads.* (Elle eut un rire léger.) J'enfreins leur code d'honneur, je crois, en vous racontant cela et je suis sûre que Coco ne serait pas d'accord. A propos, tous les clowns anglais sont appelés *Joey.*

— Avez-vous dit à Coco qui vous étiez?

— Non.

— Pourquoi? Vous n'aviez pas confiance en lui?

— Pas à cause de cela. Je craignais que cela paraisse une vantardise de dire que je m'étais enfuie de chez moi parce que ma mère désirait me faire épouser un comte! Quand il vous a trouvé sans connaissance et m'a demandé qui vous étiez, j'ai répondu que vous étiez mon mari.

— C'était judicieux et anticipait simplement sur ce qui sera la réalité.

Calista se leva du lit où elle s'était assise pour jouer aux échecs avec lui et alla vers la fenêtre.

Il l'observa en silence et au bout d'un moment elle reprit la parole :

— Le médecin a dit que vous pourrez vous lever demain et que vous serez assez rétabli pour voyager en voiture.

— Je le sais, mais je préfère retrouver d'abord mes forces et me sentir solide sur mes jambes avant que nous retournions affronter votre mère et subir les félicitations.

— Y sommes-nous obligés? demanda la jeune fille à voix basse.

— A moins que vous ne souhaitiez rester éternellement dans le secret de cette auberge ou d'autres semblables.

— Vous voulez retourner à vos domaines, vos chevaux et naturellement à votre vie politique.

Le comte ne protesta pas et après un silence elle reprit :

— Avez-vous oublié que le Couronnement a lieu le 28 — dans une semaine?

— Je n'y songeais plus. J'avoue que ce n'est pas un événement que j'attends avec impatience.

— Vous aurez besoin en tout cas d'être en pleine forme.

— J'en conviens. Cinq heures de présence dans l'abbaye de Westminster sont un exploit d'endurance pour n'importe qui.

— Vous serez complètement rétabli d'ici là, déclara Calista avec assurance.

— Je l'espère.

— J'ai pensé, reprit-elle d'une voix hésitante, que nous n'avions besoin d'expliquer à personne que vous avez été blessé ou contraint de rester au lit. Vous pouvez faire comme si tout le temps de votre absence vous m'aviez cherchée et ne m'aviez découverte que le jour de notre retour.

— Je vois que vous êtes décidée à épargner mon amour-propre.

— Je... je ne songeais pas seulement à vous. Je sais combien maman serait fâchée si elle savait que j'ai séjourné ici dans cette auberge sans chaperon.

— Votre mère ne serait que trop contente d'avoir une excellente raison supplémentaire pour exiger que notre mariage ait lieu le plus vite possible, j'en suis certain, répliqua-t-il d'un ton sarcastique.

Il avait parlé sans réfléchir mais, quand il vit l'expression dans les yeux de Calista et la rougeur de ses joues, il regretta de n'avoir pas fait preuve de plus de tact.

— Maman s'imaginerait..., commença-t-elle. Oh... non! C'est impossible!

— Il nous faut veiller à ne lui donner aucun motif de croire quoi que ce soit de ce genre, dit lord Helstone pour la réconforter. (Il s'aperçut que Calista avait toujours l'air choquée et il finit par dire :) Vous êtes très jeune, mais vous devez comprendre à présent que le monde est plein de traquenards pour les jeunes filles innocentes et que les mobiles et les actions des gens ne sont que trop aisément mal interprétés.

— Oui, je sais et je suppose que comme il y a eu tant de femmes séduisantes et jolies dans votre vie... les gens croiraient que, parce que nous étions seuls ensemble, naturellement vous... vous m'avez fait la cour.

— Vous vous y seriez attendue aussi, certainement, répliqua-t-il en souriant, si je n'avais pas été un pauvre invalide cloué sur son lit qui voyait en vous non une femme mais une infirmière.

Il avait voulu la taquiner. Calista murmura alors :

— Puis-je... vous demander quelque chose?

— Bien sûr. Je crois que désormais nous savons tous deux, Calista, qu'il n'y a rien dont nous ne puissions discuter ensemble avec simplicité.

— Vous ne serez pas fâché... ou vous ne me jugerez pas indiscrète de m'immiscer dans votre vie privée?

— Vous pouvez me demander tout ce que vous voulez et je vous répondrai aussi franchement que possible.

— Alors, est-ce que... vous êtes très épris de lady Genevieve Rodney?

Il se dit qu'il aurait dû s'attendre à cette question et pourtant lady Genevieve lui était si bien sortie de l'esprit après sa tentative éhontée pour le prendre au piège qu'il fut stupéfait en entendant la question de Calista.

Il n'y avait rien d'étonnant pourtant, il s'en avisa en même temps, à ce qu'elle connaisse l'existence de Genevieve.

Les gens du monde que lady Chevington recevait avaient dû potiner sur eux et c'était impossible de nier toute relation avec Genevieve d'autant plus que celle-ci avait pris grand soin que leurs deux noms soient toujours associés.

Se redressant sur ses oreillers, il s'écria :

— Revenez près de moi, Calista! Je veux vous parler.

Il crut sur le moment qu'elle ne bougerait pas, mais elle se détourna de la fenêtre et s'approcha du lit avec lenteur et, à ce qu'il lui sembla, un peu à contrecœur.

— Asseyez-vous! ordonna-t-il.

Elle obéit, reprenant sa place de tout à l'heure sur le bord, face à lui, l'échiquier entre eux.

— Je veux essayer de vous expliquer quelque chose, commença-t-il, et je crois que c'est important pour la clarté de nos relations, pour notre bonheur à venir.

Calista leva vers lui ses yeux gris-vert et il songea qu'elle n'était pas seulement jolie mais aussi tellement fragile et immatérielle d'apparence que l'on avait du mal à penser qu'elle était une jeune femme de chair et de sang.

— Je suis beaucoup plus âgé que vous, reprit-il, et j'ai vécu ce qu'on appelle « pleinement ». Je ne ferai pas injure à votre intelligence, Calista, en prétendant n'avoir pas eu de nombreuses affaires de cœur. (Il laissa passer un temps avant de continuer.) Mais je tiens à ce que vous me croyiez quand je dis qu'elles n'ont jamais été pour moi autre chose que des interludes très agréables et divertissants.

— Voulez-vous dire que vous n'avez jamais souhaité qu'aucune des dames... aimées de vous... devienne votre femme? questionna Calista dans un murmure.

— Exactement. Je n'ai jamais envisagé que l'une d'elles prenne la place de ma mère à Helstone House ou porte son nom.

— Mais ne désiraient-elles pas vous épouser?

Il comprit qu'elle pensait à lady Genevieve.

— Les femmes ont toujours envie d'enchaîner un homme, de le capturer, d'en faire leur propriété. Mais j'ai toujours voulu être libre.

— Vous ne l'êtes plus... maintenant, dit Calista d'une petite voix chagrinée.

— La situation se présente différemment, comme nous le savons l'un et l'autre. Et vous vous demandez si je vous épouse en ayant le cœur engagé ailleurs. En toute franchise, je peux répondre non.

— Merci de me l'avoir dit.

Comme si Calista jugeait à présent la conversation terminée, elle ramassa l'échiquier posé sur le lit et le rangea sur une table de l'autre côté de la pièce.

— Je vais aller voir si les journaux sont arrivés. Il y en a un qui vient de Londres par la diligence de l'après-midi et il y aura peut-être quelque chose d'intéressant dedans.

— Pourquoi ne pas sonner?

— Je préfère y aller moi-même.

— Je suis persuadé que c'est simplement un prétexte pour voir comment se porte Centaure.

Calista rit.

— Vous êtes trop perspicace. Je veux savoir en effet s'il a eu suffisamment à manger et si sa litière est convenable.

— Je vous en ai déjà avertie, je serai jaloux de cet animal!

Calista rit de nouveau.

— Il y a beaucoup plus de chances pour que le jaloux soit Centaure, répliqua-t-elle et, sortant de la pièce, elle referma la porte derrière elle.

Lord Helstone la regarda d'un air déconcerté avant de se réinstaller confortablement dans son lit.

Elle est extraordinaire, conclut-il. Même après être resté avec elle si longtemps, il ne parvenait pas à deviner ce qu'elle pensait.

Il ne s'était pas douté qu'un être aussi jeune pourrait s'intéresser autant à des sujets qui laissent généralement les femmes indifférentes, surtout lorsqu'elles sont belles.

En même temps, il restait stupéfait quand il songeait aux risques que Calista avait courus, seule dans le cirque.

Il se demanda ce qui se serait passé s'il n'était pas survenu à l'instant critique.

Elle aurait appelé au secours et peut-être que le patron, comme elle lui avait dit qu'on désignait le propriétaire du cirque, aurait obligé Manzani à se conduire convenablement.

Néanmoins c'était un risque qu'aucune jeune fille élevée comme Calista n'aurait dû courir.

Lord Helstone se retrouva aussi en train de s'interroger sur Coco.

Le Français l'aimait-il vraiment sans rien exiger en retour de plus intime qu'un baiser sur le bout des doigts ?

Cela lui paraissait quasi impossible, puis il se souvint que les femmes attirées par lui et que lui-même trouvait désirables avaient toujours laissé clairement entendre dès le début de leurs relations ce qu'elles attendaient de lui.

Il avait peine à croire qu'il avait noué avec une femme jeune et jolie une amitié entièrement platonique. Evidemment il était malade et faire les premiers pas était hors de question en ce qui le concernait, mais Calista le traitait avec gentillesse, presque en camarade, sans jamais jouer de sa féminité avec lui.

Les femmes qu'il avait fréquentées jusqu'à présent flirtaient outrageusement non seulement en paroles mais aussi dans leurs attitudes. Leurs regards adressaient des invites et leurs lèvres étaient provocantes.

Calista lui parlait comme à une autre femme ou même comme à son cheval.

« Elle n'est pas du tout éveillée sur le plan sensuel », songea-t-il. Et il se demanda si le roux de ses cheveux dénotait un feu intérieur qu'un jour le désir ferait flamber très haut.

Comment aussi seraient ses yeux gris-vert s'ils exprimaient l'amour et enfin si ses lèvres qui n'avaient pas encore connu le baiser seraient douces et dociles.

Il conclut que la perspective d'épouser Calista ne l'irritait plus.

La colère qu'il avait ressentie quand il s'était rendu compte que lady Chevington lui avait forcé la main en mettant Calista dans son lit s'était dissipée.

Il se retrouva en train de projeter, avec son esprit de décision habituel, leur mariage avant la fin de l'été.

La cérémonie serait somptueuse et célébrée soit à l'église de St. James, dans Piccadilly, soit à celle de St. George, place de Hanovre. .

La reine, il l'espérait, honorerait le mariage de sa présence et l'église serait bondée non seulement de ses relations mondaines mais aussi de ses collègues du Parlement.

Ses fermiers viendraient du domaine de Helstone y assister et à leur retour un festin les attendrait pour célébrer l'événement.

Un bœuf serait rôti entier, il y aurait de grands tonneaux d'ale et, naturellement, un feu d'artifice couronnerait les réjouissances.

A sa surprise, il s'avisa qu'il envisageait son mariage et ce que cela impliquerait sans ressentiment ni en vérité sans beaucoup de rancœur envers sa future belle-mère.

Il décida toutefois que lady Chevington ne serait pas souvent son invitée ni dans sa résidence de Londres ni à la campagne.

Il estimait qu'elle avait une mauvaise influence sur Calista. Non seulement par sa volonté de marier ses filles à des hommes importants mais aussi par sa façon de donner trop de liberté à Calista, de la laisser en faire à sa tête, comme par exemple de se promener en pantalon avec une veste de jockey sur le dos.

« Elle devra se montrer plus circonspecte quand elle sera ma femme », résolut-il.

Calista dîna seule, comme tous les soirs, dans le salon du rez-de-chaussée.

Quand elle remonta dans la chambre de lord Helstone, son plateau avait été emporté par le valet mais il avait encore près de lui une bouteille de champagne dans un seau à glace et il en tenait un verre à la main qu'il dégustait à petites gorgées.

— Je bois un toast à demain! annonça-t-il à la jeune fille au moment où elle franchissait le seuil.

Elle avait changé la robe de mousseline qu'elle portait depuis le matin pour l'autre. Elle n'avait que ces deux-là qu'elle mettait alternativement.

Elles étaient très simples, avec une jupe ample resserrée autour de sa taille de guêpe, mais elles l'habillaient bien.

Calista avança vers lui avec ce qu'il appela en lui-même la grâce d'un cygne.

— Quel est votre toast?

— A demain! Où je recommencerai à vivre comme avant.

— J'avoue que demain me fait peur. Notre séjour ici, c'était comme de vivre sur une île minuscule dans un petit monde à nous et sans personne qui nous harcèle.

— Cela vous a plu?

— Oui, j'étais contente. C'est merveilleux de se sentir libre, de n'avoir personne pour vous gronder ou faire des reproches et... (Elle lui adressa un sourire qui illumina son visage.) de disposer de deux chevaux aussi splendides!

— Nous voilà revenus aux chevaux, dit-il sèchement. Mais vous avez oublié quelque chose de très important.

— Quoi donc?

— Moi! Ce que je désirerais savoir surtout, Calista, c'est si vous avez été heureuse en ma compagnie?

— Oui. Très heureuse! Je suis ravie de bavarder avec vous, j'aime entendre tout ce que vous pouvez me dire et j'aime être avec vous.

Elle parlait sincèrement, presque sans réfléchir. Puis leurs regards se croisèrent et soudain elle se figea.

Elle le regardait, il la regardait et ce fut comme si un courant magnétique passait entre eux.

— Calista! s'exclama-t-il d'une voix vibrante.

Un coup frappé à la porte rompit le charme. Sans attendre de réponse, le valet de chambre qui s'occupait de lord Helstone entra dans la pièce.

— Le patron voudrait savoir, monsieur, puisque vous descendrez pour déjeuner demain, si vous aurez envie d'un joli rôti de porc ou si vous préférerez de la selle d'agneau?

— Je vois qu'il me faut prendre une décision d'importance. Tout bien réfléchi, j'opte pour la selle d'agneau.

— Merci, monsieur. Je vais le dire au patron.

Le valet quitta la chambre et Calista éclata de rire.

— Ils s'apprêtent visiblement à fêter votre venue au rez-de-chaussée, à l'initiative surtout de Mrs Blossom, la femme de l'aubergiste. Elle m'a déclaré aujourd'hui que vous étiez « un vrai gentleman » et si beau qu'elle serait dans les transes si c'était elle qui était mariée avec vous.

— Est-ce une mise en garde?

— J'en ai l'impression, mais ensuite elle a ajouté, pour me remonter le moral je pense, que son mari et son fils me trouvaient tous deux plus jolie que la reine elle-même.

— Je l'espère bien! s'exclama-t-il.

— Vous n'admirez pas la reine Victoria?

— Pas particulièrement. Elle deviendra grosse et grasse en vieillissant. C'est ce qui se produit toujours avec ce genre de femme.

— Il me semble qu'en étant si critique vous commettez un crime de *lèse-majesté* (1), dit Calista en riant, et étant donné que vous avez une longue journée devant vous demain, je vous suggère de fermer les yeux de bonne heure comme j'ai l'intention de le faire.

Il posa le verre sur la table à côté du lit et tendit la main.

— Bonne nuit, Calista, dit-il. Je veux vous remercier de vous occuper si bien de moi. Je ne connais personne d'autre qui s'en serait acquitté d'une façon aussi charmante tout en étant beaucoup plus jolie que la reine!

Calista mit sa main dans la sienne et il referma ses doigts dessus en ajoutant :

— Vous vous êtes montrée une merveille de gentillesse et je vous en suis très reconnaissant. J'espère seulement n'avoir pas perdu toute votre considération en jouant un rôle aussi piteux dans ma tentative pour venir à votre secours.

— Nous avons dit que nous n'en parlerions à personne, répliqua la jeune fille, et je pense que nous devrions nous aussi enterrer cette histoire.

— Est-ce que vous voulez épargner mon amour-propre? demanda-t-il avec un soupçon de gaieté dans la voix.

— J'estime que vous avez été très brave, mais les chances n'étaient pas égales.

— N'empêche que c'était une défaite ignominieuse, reprit-il sans lui lâcher la main. Mais peut-

(1) En français dans le texte.

être qu'essuyer un échec est parfois bon pour l'âme... du moins suis-je sûr que c'est ce que penserait lord Yaxley.

— Pourquoi lui en particulier?

— Il estime que je compte trop de réussites et que je suis trop content de moi. En ce moment, ce n'est pas le cas.

— On ne peut pas gagner toutes les courses.

— C'est vrai, mais nous allons tenter ensemble la classique. D'accord?

Sans attendre sa réponse, il porta sa main à ses lèvres. Elle sentit la chaleur de sa bouche sur sa peau. Il dit ensuite à mi-voix :

— Je serai en mesure de vous remercier mieux demain, quand je serai debout.

Calista dégagea sa main.

— Bonne nuit, dit-elle timidement.

— Bonne nuit, Calista.

Elle s'approcha de la cheminée pour tirer la sonnette qui ferait venir le valet et, avec un autre petit sourire, se dirigea vers la porte de communication entre leurs deux chambres.

— J'ai été très heureuse, dit-elle à voix basse.

La porte se referma derrière elle avant qu'il ait eu le temps de réagir.

Le comte de Helstone fut réveillé par le bruissement des rideaux que l'on écartait doucement devant la fenêtre.

Il dormait, mais ce bruit le tira de l'inconscience et il aperçut le soleil qui pénétrait à flots par la croisée aux vitres en losange et inondait la pièce entière d'une lumière dorée.

Par la fenêtre ouverte entraient des chants d'oiseaux et le doux parfum des rosiers grimpant le long du mur de l'auberge mêlé à celui des matthioles plantées dans le jardin.

— Bonjour, m'lord, dit une voix connue.

Lord Helstone sursauta et écarquilla des yeux stupéfaits en apercevant non pas le domestique de l'auberge auquel il s'attendait mais son propre valet de chambre.

— Bonté divine, Travis! s'exclama-t-il. Qu'est-ce que vous faites là?

— Mr Grotham a reçu la lettre de Votre Seigneurie à une heure tardive hier soir et nous étions rudement contents d'avoir de vos nouvelles. Nous étions bien en souci, croyez-moi.

— Mr Grotham a reçu ma lettre? répéta lentement Lord Helstone.

— Oui, m'lord, et j'ai amené la voiture que Votre Seigneurie a commandée, ainsi que le palefrenier supplémentaire pour monter Oreste au retour.

Lord Helstone resta muet et au bout d'un instant Travis reprit :

— On a de la peine à croire que Votre Seigneurie ait pu faire une chute de cheval, étant donné que les talents de cavalier de Votre Seigneurie sont sans égal. Mais, comme le disent les palefreniers, cet étalon n'est pas commode.

Travis remit en ordre quelques objets dans la pièce avant d'ajouter :

— J'ai apporté à Votre Seigneurie des vêtements propres. J'imagine l'état dans lequel doivent être ceux que vous avez portés si longtemps.

— Frappez à cette porte! ordonna lord Helstone en la désignant du doigt.

Il avait parlé d'un ton si sec que Travis parut surpris. Néanmoins il se dirigea aussitôt vers la porte de communication et frappa.

Pas de réponse.

— Ouvrez, ordonna de nouveau lord Helstone. Dites-moi ce qu'il y a dedans.

Travis obéit.

— La pièce est vide. Le lit est défait, mais personne n'est là en ce moment.

— Y a-t-il quelque chose dans la penderie?

Travis entra dans la chambre et lord Helstone entendit ouvrir un placard. Ce qui fut suivi du bruit de tiroirs qu'on tire puis repousse.

Le valet revint.

— Non, m'lord.

Lord Helstone rejeta ses couvertures.

— Je veux me lever, dit-il. Allez me chercher mes habits et quand je serai prêt je veux voir l'aubergiste.

Un quart d'heure plus tard, il s'entretenait seul à seul avec lui.

— Où est ma femme?

L'aubergiste eut l'air surpris.

— Monsieur, je croyais que vous saviez que Mrs Helstone a quitté l'auberge de bonne heure ce matin. Elle m'a expliqué qu'elle prenait les devants pour que tout soit préparé à votre retour à Londres. Y a-t-il quelque chose qui ne va pas?

— Non, dit vivement lord Helstone. C'est que je ne m'attendais pas à ce qu'elle s'en aille pendant que je dormais encore.

— Mrs Helstone est partie avant 6 heures, monsieur. Elle n'a pas voulu vous déranger, je pense. (L'hôtelier jeta un coup d'œil par-dessus son épaule et ajouta :) Cela me gêne de vous le rapporter, monsieur, mais elle a dit que quand la voiture arriverait elle souhaitait que je ne parle pas de son départ. Elle voulait que ce soit une surprise.

— Oui, c'est bien ça, convint précipitamment lord Helstone. Ma femme ne veut pas que nos domestiques s'imaginent qu'elle intervient dans leur travail ou le critique. Vous m'obligerez en ne mentionnant pas le fait qu'elle est partie ou même qu'elle a séjourné ici.

Lord Helstone eut l'impression que son interlocuteur l'examinait d'un air soupçonneux mais comme il régla la note en laissant un pourboire royal cela rendit l'aubergiste accommodant.

Descendre ne lui causa aucune peine et le trajet jusqu'à Londres dans sa voiture bien suspendue ne fut pas trop fatigant.

En revanche, il était terriblement inquiet à cause de Calista.

Il essaya de se persuader qu'elle avait fait exactement ce qu'elle avait dit à l'aubergiste et pris les devants pour que sa mère n'apprenne pas qu'ils avaient séjourné ensemble à l'auberge. Auquel cas il la trouverait qui l'attendait à Londres.

L'explication était plausible mais ne tenait pas compte du fait qu'elle ne s'était pas confiée à lui et il eut le pressentiment désagréable — qui se révéla fondé — qu'elle n'y serait pas.

Il n'alla pas voir lady Chevington. Il lui envoya de Helstone House un message demandant si elle avait des nouvelles de Calista.

Lady Chevington se présenta chez lui moins d'une heure plus tard.

— Vous êtes resté si longtemps absent, mylord, que j'ai cru que vous aviez découvert ma fille.

— Vous-même n'avez rien appris? fut sa réponse évasive.

— Dans ce cas, j'aurais fait mon possible pour vous avertir, répliqua lady Chevington. Où peut-elle être? Voyons, si elle avait eu un accident ou était morte, nous l'aurions appris d'une manière ou d'une autre?

— Disparaître quand on monte un cheval aussi caractéristique paraît bien difficile.

— C'est ce que je me dis aussi, murmura lady Chevington en soupirant. Et j'ai eu toutes les peines du monde à me retenir de me confier à mes amis, de leur demander de m'aider à retrouver Calista.

— Vous n'avez prévenu personne qu'elle avait disparu?

— Bien sûr que non! Imaginez-vous les potins et les commentaires sur ce qu'elle pouvait faire toute seule? (Elle eut une exclamation exaspérée.) Personne ne voudrait croire qu'elle était seule.

— J'y ai pensé aussi, avoua lord Helstone.

— Alors que faire?

— Ce que nous aurions dû faire dès le début et que je vais faire, annonça-t-il d'une voix dure. Je connais un ancien sergent de ville. Il pourra m'indiquer des hommes qui entreprendront les recherches sans mettre la police au courant. J'en engagerai une douzaine et verrai s'ils parviennent à découvrir rapidement la trace de Calista.

Il s'abstint de confier à lady Chevington sa quasi-certitude que Calista était quelque part dans Londres.

Avant de quitter l'auberge, il s'était assuré qu'elle avait pris la route de Londres qui passait par Barnet et Finchley.

« Voyons, pensa-t-il, ce serait extraordinaire qu'elle traverse tant de villages sans qu'on la remarque! »

Robinson arriva alors que lady Chevington venait à peine de partir.

Le comte de Helstone lui donna ses instructions et lui confia sous le sceau du secret qu'il avait eu raison en supposant que Calista pourrait s'être engagée dans un cirque.

— Vous ne croyez pas qu'elle serait allée dans un autre, m'lord? demanda Robinson.

— J'ai l'impression que si elle désire disparaître à nouveau elle ne refera pas la même chose. Elle sait que je la chercherai dans des cirques comme la première fois, je suis donc sûr qu'elle choisira une autre solution pour elle et son cheval.

— Ce ne sera pas facile, sauf si elle a de l'argent, commenta Robinson.

Lord Helstone savait, mais ne jugea pas nécessaire de le dire, que Calista avait plus d'argent à présent que lorsqu'elle était partie de sa résidence d'Epsom.

En payant la note de l'aubergiste, il avait trouvé dans sa bourse, plié parmi les billets, un petit morceau de papier sur lequel était écrit :

Je vous dois dix livres. Calista.

Sur le moment, après les journées passées ensemble et après avoir dit et redit à Calista avec tant de fermeté et d'insistance qu'elle s'était conduite de façon irréfléchie et dangereuse en s'en allant toute seule, il eut de la peine à admettre que la jeune fille n'avait tenu aucun compte de ses observations et s'était de nouveau enfuie.

Il avait eu tellement de peine à le croire qu'en dépit de la reconnaissance de dette il avait envoyé un valet à Epsom sans en parler à lady Chevington, pour voir si par hasard Calista n'était pas retournée chez elle.

Ce soir-là en se couchant, il fut incapable de trouver le sommeil.

C'était incroyable d'en être revenu au point de départ — à chercher une aiguille dans une botte de foin ou plutôt une jeune fille et un cheval.

Il se dit que c'était un miracle, au fond, s'il l'avait découverte la première fois et sans qu'elle eût trop souffert dans l'aventure.

Quelle certitude avait-il qu'elle aurait de nouveau autant de chance?

Et pourquoi une telle répugnance à se marier avec lui au point d'être prête à affronter dangers et privations plutôt que de se résigner à rien de plus terrible qu'être son épouse?

Il y avait sûrement une autre raison à cette décision de s'en aller après avoir envoyé un domestique de l'auberge chez lui, à Londres, la veille au soir.

Il ne parvenait pas à se convaincre qu'ils avaient bavardé comme ils l'avaient fait, qu'elle lui avait dit bonsoir et déclaré qu'elle était heureuse alors qu'elle était déjà décidée de partir à l'aube.

Il était furieux qu'elle se conduise si sottement et lui cause tant de souci.

— Qu'elle aille au diable! s'exclama-t-il à haute voix. Si c'est comme ça qu'elle envisage l'existence, je m'en désintéresse!

Mais soudain, presque comme si une voix le lui disait, il sut que c'était impossible.

7

Lord Helstone entra dans la bibliothèque et se jeta dans un fauteuil. Ses bottes étaient couvertes de poussière, il avait chaud et était recru de fatigue.

Il était resté en selle depuis le matin et avait parcouru bon nombre de lieues dans la périphérie de Londres.

Il avait vu plus de cent chevaux noirs avec ou sans

étoile blanche sur le front, mais nulle part, il n'avait aperçu de femme ressemblant tant soit peu à Calista.

— Aimeriez-vous prendre quelque chose pour vous rafraîchir, m'lord? questionna le maître d'hôtel qui s'était approché.

— Donnez-moi du cognac.

Quand l'alcool fut servi, lord Helstone le savoura lentement, les yeux perdus dans le vide. Un jour encore s'était écoulé et ni lui ni les hommes qu'il avait engagés par l'intermédiaire de l'ancien sergent de ville n'avaient trouvé trace de Calista.

Comment avait-elle pu disparaître aussi totalement? se demanda-t-il, et il se rendit compte que c'était la question lancinante qui le harcelait non seulement le jour mais encore la nuit.

Il avait été incapable de s'endormir et finalement il avait dû s'avouer que ses sentiments envers Calista étaient différents de ceux qu'il avait éprouvés pour les autres femmes.

Et pourtant il avait mis plusieurs jours à admettre que ce qu'il ressentait pour elle n'était pas de la colère ni de l'indignation ou de la frustration mais de l'amour.

Il se dit à présent, comme il se l'était dit pendant la nuit, que l'amour lui était venu enfin sous un aspect bien différent de ce qu'il attendait.

Auparavant, dans ses affaires de cœur, il avait toujours été aveuglé par la sensualité, par son désir de posséder une femme, si bien qu'il ne s'était guère attardé à considérer autre chose que ses attraits physiques.

Avec Calista, cela s'était passé autrement.

Il était tombé amoureux d'elle sans pour autant s'en être aperçu sur le moment, il le voyait maintenant, lorsqu'ils avaient bavardé ensemble au bord du lac et qu'elle lui avait dit : « Imaginez-vous ce que ce serait de venir ici avec quelqu'un qu'on aime? » Sa voix était douce et musicale. Puis elle avait achevé sa phrase par ces mots : « ... et savoir que les étoiles sont les vœux que vous avez faits pour votre bonheur à l'un et à l'autre? »

J'aurais dû comprendre que c'est ce que je souhaitais qu'une femme éprouve à mon égard, se dit-il.

Une femme qui se soucie de son bonheur à lui plutôt que du sien propre! Et pourtant il avait été assez stupide pour parler à Calista comme si leur union devait être une association commerciale.

Comment avait-il pu parler aussi pompeusement des nombreux goûts qu'ils avaient en commun, de leur intérêt partagé pour les chevaux ou de la confiance mutuelle sur laquelle serait fondée leur union?

— Je devais être fou! s'exclama-t-il à haute voix.

Ce que Calista souhaitait, il en était maintenant certain, c'est qu'un homme lui dise qu'il avait besoin d'elle comme jamais il n'avait eu besoin d'une autre femme, qu'elle représentait tout au monde pour lui et qu'il ne pouvait pas vivre sans elle.

Il n'avait jamais émis semblables déclarations dans le passé parce qu'elles n'auraient pas été véridiques. A présent, il était prêt à les faire à une jeune fille nommée Calista qui s'était enfuie loin de lui parce qu'elle n'avait pas envie d'être son épouse.

La porte s'ouvrit et le maître d'hôtel annonça :

— Harwell désire vous voir, m'lord, si vous pouvez lui accorder un instant.

— Que veut-il? questionna lord Helstone avec impatience.

Absorbé par ses réflexions, il s'irritait de cette intrusion.

— Harwell, si j'ai bien compris, souhaite vous parler d'un cheval inconnu qui a été laissé à l'écurie.

Lord Helstone se redressa sur son siège.

— Un cheval inconnu? répéta-t-il.

— Oui, m'lord.

— Envoyez-moi tout de suite Harwell.

Lord Helstone se leva et attendit qu'on introduise dans la bibliothèque le chef de ses écuries, un homme entre deux âges, grand connaisseur en chevaux.

Le maître d'hôtel referma la porte derrière lui.

— De quoi s'agit-il, Harwell? questionna lord Helstone.

— J'ai pensé que Votre Seigneurie devrait savoir qu'il y a une heure environ un cheval a été amené aux écuries.

— Par qui?

— Un gamin des rues le conduisait, m'lord — celui qui traîne toujours dans le quartier avec l'espoir de gagner quelques sous.

— Lui avez-vous demandé comment il avait trouvé ce cheval?

— Il m'a expliqué qu'une jeune dame lui avait donné une pièce pour conduire l'animal aux écuries. Je lui ai demandé aussi s'il savait qui elle était et il a dit qu'il avait déjà apporté une lettre de sa part ici un jour.

Lord Helstone se souvint du mot que Calista lui avait envoyé pour lui donner rendez-vous au bord de la Serpentine.

— Rien d'autre? questionna-t-il.

— Non, m'lord. Le cheval est en bonne condition, mais affamé.

Lord Helstone fut saisi.

Quand il eut donné des instructions au sujet de Centaure et que Harwell fut parti, il s'approcha de la fenêtre et contempla les arbres et les bosquets de Berkeley Square.

« Pourquoi ne m'a-t-il pas été accordé de voir Calista? » songea-t-il.

Pourquoi le destin n'avait-il pas eu la bonté de la lui laisser apercevoir quand il était revenu de sa longue journée de recherches infructueuses? Il comprenait instinctivement que Calista ne s'était séparée de Centaure que parce qu'elle était à bout de ressources.

Le cheval était affamé!

L'idée que Calista devait être encore plus affamée que son cheval bien-aimé lui était insupportable.

Elle avait dû dépenser l'argent qu'elle lui avait emprunté ou peut-être le lui avait-on volé.

Comment saurait-elle se défendre contre les voleurs, les brigands, les pickpockets qui abondaient à Londres, surtout à l'époque du Couronnement?

« Affamée! » murmura lord Helstone pour lui-même, et il y avait dans ses yeux une expression de souffrance et de chagrin qui ne s'y était jamais trouvée auparavant.

Le long service tirait à sa fin dans l'abbaye de Westminster et les personnes qui assistaient au Couronnement étaient presque aussi épuisées que la souveraine.

Tout Londres avait été réveillé à 4 heures du matin par une mousquetade qui éclatait dans le Park et n'avait pas eu la possibilité de se rendormir à cause du vacarme de la foule qui emplissait les rues, des orchestres et des régiments en marche.

Le carrosse royal avait gravi Constitution Hill, longé Piccadilly et emprunté St. Jame's Street, puis traversé Trafalgar Square et conduit la reine à 10 heures devant l'abbaye de Westminster.

Les pairs et pairesses du royaume avaient reçu la consigne de gagner leurs places longtemps avant. Ils étaient venus dans leurs grands carrosses fermés, dorés et armoriés, et la foule les avait acclamés tout le long du trajet. •

Le duc de Wellington avait eu non seulement les applaudissements de la foule mais aussi une ovation à l'intérieur de l'abbaye quand il avait remonté la nef pour gagner le chœur. Il avait été ému aux larmes par cet accueil.

Lord Helstone ne s'était pas rendu de bon cœur à la cérémonie du Couronnement, mais il savait que s'abstenir d'assister à ce grand événement soulèverait une tempête de commentaires.

Il pensa aussi que son absence s'ajoutant au fait qu'il n'avait pas paru à Londres depuis quinze jours risquait d'inciter lord Palmerston et lord Bentinck à croire qu'il fuyait l'obligation d'honneur où il était d'épouser Calista.

C'est pourquoi, revêtu de son manteau de cour et portant sa couronne, il se rendit en carrosse à l'abbaye de Westminster, avec une expression renfrognée qui fit que plusieurs de ses amis le dévisagèrent avec appréhension.

Il avait cru s'ennuyer à mourir mais, comme tout le monde, il ne put s'empêcher d'être impressionné par la splendeur de l'abbaye tendue de rouge et or.

Les rangs de pairesses étincelantes de diamants en face des pairs en manteau rouge bordé d'hermine, les chapes somptueuses des évêques, l'autel surchargé d'ornements d'or offraient un spectacle saisissant.

Quand la reine apparut, silhouette juvénile au centre de la nef, le comte de Helstone oublia toutes les critiques qu'il avait proférées à son encontre et songea qu'il y avait quelque chose de pathétique dans

181

son visage frais comme une fleur. Elle sortait à peine de l'enfance et déjà elle prenait en charge les lourdes responsabilités d'une grande nation.

Dans son esprit, il l'associait à Calista, toutes deux jeunes, encore en deçà du seuil de la maturité, toutes deux d'une poignante vulnérabilité qui incitait les hommes à vouloir les protéger.

Nimbée d'un rayon de soleil, Victoria fut couronnée reine d'Angleterre. Les pairs et pairesses mirent tous leur couronne, des trompettes d'argent sonnèrent et l'archevêque présenta la reine au peuple en la faisant se tourner vers les quatre points cardinaux.

Le spectacle grandiose atteignit son point culminant avec un tumulte de hourras et de vivats dans une envolée de drapeaux et d'écharpes follement agités.

Comme lord Helstone se dirigeait lentement avec les autres pairs vers la porte ouest, il aperçut lord Palmerston près de lui.

— Je me demande si vous voudriez me rendre un service, Helstone? s'enquit-il.

— Bien sûr.

— Auriez-vous l'amabilité de m'accompagner à 6 heures à Hyde Park?

Lord Helstone eut l'air surpris et lord Palmerston expliqua :

— J'ai promis d'assister à l'ascension du ballon de Charles Green, le *Royal Coronation* (1).

Lord Palmerston prit le temps de dégager son manteau de velours qui s'était accroché à celui d'un autre pair avant de continuer :

— J'étais là quand Green a fait sa première ascension en ballon des Jardins de Vauxhall. Il nous avait

(1) Le « Couronnement de la Reine ».

182

grandement impressionnés, le comte d'Orsay et moi.
Et comme vous le savez peut-être, c'est le premier
aéronaute qui utilise du simple gaz d'éclairage.

— Oui, je me rappelle en avoir entendu parler.

— Depuis, Green a traversé la Manche et atterri
dans le duché de Nassau en Allemagne. Aujourd'hui,
il a l'intention de rallier Paris pour transmettre un
reportage spécial sur le couronnement de Sa
Majesté. (Lord Palmerston sourit et ajouta :) Si
j'étais plus jeune, je crois que je serais allé avec lui.
Il faut que je me contente d'envoyer un message
protocolaire à mon homologue français, le ministre
des Affaires étrangères.

— Green s'est fait un nom parmi les aéronautes,
c'est vrai, commenta lord Helstone, mais malheureusement les Français nous ont devancé dans le
domaine des exploits aériens.

— Jusqu'ici Green est l'Anglais qui a le mieux
réussi et c'est pourquoi je désire l'encourager. Voulez-vous me tenir compagnie pour aller lui souhaiter
bon voyage? Cela m'ennuie de demander cela à quelqu'un de marié qui préférerait rester avec sa famille
ce soir.

— Je serai honoré de vous prêter mon concours,
répondit cérémonieusement lord Helstone.

— Je passerai donc vous prendre à Helstone
House vers 6 heures, répliqua lord Palmerston.

Ils furent séparés par les gens qui sortaient en
foule de l'abbaye et se mettaient en quête de leurs
carrosses.

Harwell avait une grande expérience des cérémo-
nies officielles, si bien que lord Helstone retrouva
facilement sa voiture et retourna chez lui.

Chemin faisant, il ne put s'empêcher de se dire
avec inquiétude que Calista était peut-être seule et
sans protection dans la foule dense toujours postée

sur le parcours — et de craindre pour sa sécurité.

Il était obsédé par l'idée qu'elle devait être vraiment à bout de ressources pour s'être séparée de Centaure.

Il savait combien elle aimait son cheval et cependant, en un sens, il trouvait un certain apaisement à sa peine dans le fait qu'elle avait envoyé Centaure chez lui plutôt que chez sa mère.

Avant de partir pour l'abbaye, il s'était rendu aux écuries. En caressant l'encolure de Centaure, il avait regretté qu'en plus d'être à demi humain comme le prétendait Calista le cheval ne puisse parler.

Comme l'avait dit Harwell, l'animal était en bonne santé, mais lord Helstone eut l'impression qu'il était plus maigre que lorsqu'il l'avait vu la dernière fois au cirque et il se demanda si Calista n'avait pas perdu après son départ de l'auberge à Potters Bar l'argent qu'elle avait emporté.

— Ce cheval semble ne rien avoir de grave, avait-il dit à son palefrenier.

— Non, m'lord. C'est simplement qu'hier soir il avait un appétit assez extraordinaire.

— Donnez-lui de quoi se refaire.

— Oui, m'lord. Votre Seigneurie a-t-elle une idée d'où il peut venir?

— Son nom est Centaure, avait répliqué lord Helstone, et il était rentré chez lui.

A son retour du Couronnement, il remit entre les mains du maître d'hôtel son long manteau de cour bordé d'hermine, comptant presque — contre toute vraisemblance — trouver un mot de Calista, mais son espoir fut déçu.

Comme la cérémonie du Couronnement ne s'était pas terminée avant 4 heures et demie et que les encombrements autour de l'abbaye l'avaient retardé, lord Helstone eut juste le temps de se changer avant que lord Palmerston arrive.

Bien assis dans la confortable voiture du ministre des Affaires étrangères, les deux hommes suivirent en silence Hill Street. Finalement, lord Palmerston posa la question qui lui brûlait les lèvres.

— Quand avez-vous l'intention de vous marier, Helstone?

— Avant la fin de l'été.

— Je croyais voir Calista au bal de la Cour, remarqua lord Palmerston, mais comme vous n'y assistiez ni l'un ni l'autre j'ai pensé que vous étiez peut-être à la campagne.

— Effectivement.

— Dites à Calista que j'attends son mariage avec impatience et j'espère que vous aimerez tous les deux le cadeau que j'ai projeté de vous offrir.

— Je suis sûr que nous l'apprécierons énormément, affirma lord Helstone.

Il était content de voir qu'ils n'avaient plus grand chemin à parcourir pour atteindre Hyde Park.

Il ne tenait pas à être obligé de subir trop de questions ou risquer que lord Palmerston se doute qu'il inventait les réponses.

Pour le Couronnement, Hyde Park avait été transformé en un gigantesque champ de foire bruyant et coloré.

Il y avait non seulement le Théâtre Richardson, où les plus grands acteurs de l'époque jouaient des pièces de Shakespeare, mais aussi des ménageries, des cirques, des musées de figures de cire et des théâtres de marionnettes, ainsi que des dioramas et des manèges de chevaux de bois, des baraques de phénomènes ou de curiosités exposant toutes les sortes de trouvailles ingénieuses susceptibles de soutirer de l'argent à un public ébahi.

Comme lord Palmerston et son compagnon roulaient vers l'emplacement d'où s'élèverait le ballon, lord Helstone qui regardait autour de lui vit des enseignes annonçant l'exhibition d'hommes et de femmes les plus gros du monde, d'enfants tachetés, de Circassiens blonds, de la Vénus Hottentote, de nains, d'une femme à deux têtes, du Squelette vivant, de cochons savants et de poneys diseurs de bonne aventure.

— S'il y a un spectacle qui m'a toujours fasciné, commenta lord Palmerston, c'est bien celui de la femme à tête de cochon!

— On m'a dit que c'est en fait un ours brun dont on a rasé de près la fourrure, répliqua lord Helstone.

— C'est possible. Je pense que la peau blanche sous le pelage des ours ressemble à celle des humains.

— Il faudra que nous allions le vérifier, dit lord Helstone en souriant.

Pendant qu'il parlait, ils étaient arrivés à l'esplanade au centre de laquelle se trouvait le ballon de Charles Green, très imposant avec ses rayures rouges et blanches.

Il était plus élégant que la plupart des aérostats, car la nacelle d'osier traditionnelle avait été remplacée par une nacelle en forme de bateau, peinte en rouge, avec des têtes d'aigle dorées à la proue et à la poupe. Il arborait à la fois l'*Union Jack* et le drapeau français.

Etant donné l'importance du trajet, Green l'avait fait gonfler plus que d'ordinaire et, en supplément du lest habituel en sacs de sable de vingt-cinq kilos environ, trente-six agents de police et vingt ouvriers avaient été précipitamment appelés en renfort pour le maintenir au sol.

Tirant sur ses ancres, le *Royal Coronation,* connu antérieurement sous le nom de *Royal Vauxhall* et de *Nassau,* offrait un spectacle vraiment très impressionnant. Les mille huit cents mètres de son enveloppe en soie la plus fine, importée d'Italie et tissée en Angleterre, oscillaient au moindre souffle d'air.

Quand lord Palmerston et lord Helstone furent descendus de voiture, ils se dirigèrent vers l'estrade installée devant le ballon, où ils furent accueillis par le lord-maire de Londres avec un certain nombre d'autres dignitaires et présentés à Charles Green.

Celui-ci était manifestement ravi des honneurs dont il était l'objet, et que lord Helstone jugeait amplement mérités.

Non seulement il avait fait de nombreuses ascensions avec des passagers, mais encore il avait pratiqué ces derniers temps des expériences scientifiques et il avait atteint, l'année précédente, l'altitude record de 23 384 pieds.

Lors de sa première traversée de la Manche, il était monté en cinq minutes à une altitude de 13 000 pieds.

— Quel est votre prochain objectif? questionna lord Palmerston.

— Je compte traverser l'Atlantique, mylord, répliqua Charles Green.

— Je fais des vœux pour votre réussite. Ce sera un beau fleuron pour l'Angleterre si vous êtes le premier à le faire.

Ils bavardèrent pendant un moment encore après que le lord-maire les eut présentés aux autres assistants, puis lord Palmerston remit à Charles Green les lettres qu'il avait préparées pour le ministre français des Affaires étrangères et le lord-maire lui donna des descriptions et des croquis du Couronnement à l'intention de la presse parisienne.

Pendant que les discours s'achevaient, lord Helstone quitta l'estrade pour examiner le ballon.

La nacelle semblait spacieuse et il remarqua que, pour amortir le choc de l'atterrissage, un grappin avait été muni d'un câble en caoutchouc fabriqué à Paris.

Il fit le tour du ballon pour le regarder de l'autre côté et s'aperçut qu'il était ancré sur la pelouse bordant la Serpentine.

La vue de l'eau argentée ne lui remit que trop vivement en mémoire le jour où en réponse à la lettre de Calista il était venu la rejoindre comme elle le lui demandait du côté sud du pont, où elle était arrivée au galop sur Centaure et s'était jetée à ses pieds.

Qui d'autre, songea-t-il, aurait imaginé cet expédient astucieux de feindre de tomber de cheval afin de pouvoir lui parler sans que sa mère soit avisée de leur rencontre?

Depuis la première minute où il avait fait sa connaissance, elle l'avait constamment surpris. Il éprouva un soudain désir, douloureux à force d'intensité, de la revoir, d'observer son visage, de plonger son regard dans ses yeux gris-vert et d'entendre sa voix lui conter des anecdotes sur ces chevaux qu'elle aimait.

Il se rappela le petit sanglot qui lui avait échappé quand elle avait relaté le martyre de Scham — et son accent de compassion.

C'est ainsi que doit être une femme, songea-t-il, compatissante envers la souffrance, choquée et affligée par la cruauté, dotée d'une compréhension peu fréquente chez les mondaines de la haute société.

Maintenant qu'il l'avait perdue, il se sentait presque coupable de n'avoir pas su apprécier ses qualités.

Comment avait-il pu être si obtus pour ne pas comprendre tout de suite sa valeur?

Comment avait-il pu être imbu de lui-même au point de ne pas se rendre compte qu'elle était différente des autres femmes qu'il connaissait?

Toute sa vie, il avait conscience et parfois inconsciemment cherché une femme qui remplacerait sa mère.

Une femme qui lui offrirait non seulement l'attrait du désir physique mais aussi quelque chose de bien plus subtil, quelque chose de spirituel, quelque chose qu'instinctivement il avait voulu saisir mais pensé qu'il ne parviendrait jamais à capturer.

Calista avait été seule avec lui pendant qu'il se remettait de ses blessures, mais il n'avait pas compris avant de l'avoir perdue qu'elle était tout ce qu'il cherchait et souhaitait trouver chez une femme.

« Quel imbécile! » se fustigea-t-il. Il se savait impardonnable et inexcusable de tant d'aveuglement.

Sans qu'il en ait eu conscience, ses pas l'avaient conduit au pont de la Serpentine où il avait attendu Calista par ce matin de mai qui lui semblait à présent si lointain.

Il se rappela l'impatience d'Oreste et, comme elle n'était pas là à l'attendre, son propre mouvement pour s'en aller.

Peut-être aurait-il mieux fait de partir. Alors rien dans ce long enchaînement de contretemps et d'anxiété ne se serait produit.

Mais dans le même temps où son amour pour Calista le rendait plus humble parce qu'il avait fait preuve de tant de sottise et d'incompréhension, il éprouvait de l'orgueil et de l'exaltation parce qu'il était amoureux et qu'elle était si merveilleuse.

C'est parce qu'il avait tant souffert après sa lutte avec Manzani, quand il était couché à l'auberge, qu'il n'avait pas pensé à elle comme à une jeune femme désirable mais comme à quelqu'un de bon et de compréhensif qui s'occupait de lui, l'amusait et lui contait des histoires grâces auxquelles il oubliait ses maux.

Qu'il ne se soit pas ennuyé ni même n'ait été impatient de rentrer à Londres retrouver le confort de sa propre maison était extraordinaire, mais il ne l'avait pas compris sur le moment.

Il s'était senti content sans s'en rendre compte, pas plus qu'il n'avait vu que sa satisfaction était entièrement due à Calista.

Il n'avait commencé à s'impatienter que plus tard, quand elle le quittait trop longtemps pour aller monter Centaure ou Oreste.

Il n'avait encore pas compris à ce moment-là pourquoi il regardait la pendule et se rasérénait quand elle entrait dans la chambre, vêtue de son amazone verte, les joues rosies par l'exercice, son front blanc barré par les petites mèches folles soulevées par le vent dans sa chevelure d'or roux.

Elle semblait toujours apporter le soleil avec elle.

— Devinez ce qui est arrivé ce matin! disait-elle avec une petite voix joyeuse.

Il découvrait alors que son irritation s'était envolée et qu'il était avide d'écouter ce qu'elle avait à dire. Elle décrivait la promenade de si vivante façon qu'il avait l'impression d'être sorti avec elle.

Et cependant il n'avait pas deviné pourquoi il réagissait ainsi!

Il arriva au pont de la Serpentine.

Peu de gens se trouvaient dans les parages, la

grande foule s'étant rassemblée autour du ballon
pour le voir s'élever dans les airs.

Il n'y avait là que le silence et le scintillement des
eaux. La musique des orchestres et le vacarme de la
foire ne parvenaient que très atténués.

C'est alors que lord Helstone l'aperçut — aperçut
Calista.

Elle se tenait tout au bord de l'eau et quelque
chose dans son attitude fit qu'il sentit le souffle lui
manquer.

Elle était nu-tête et portait une des robes de
mousseline toutes simples qu'il connaissait bien.

Elle était debout dans l'ombre du pont, ses cheveux étincelaient sur cet arrière-plan de pierre grise
et sa silhouette paraissait très mince et fragile.

Comme il l'examinait, il la vit se pencher encore
un peu plus sur l'eau et en même temps qu'une
crainte soudaine le transperçait comme un coup de
poignard il sut ce qu'elle s'apprêtait à faire.

— Calista! s'exclama-t-il d'une voix qui portait
loin.

Elle sursauta et tourna la tête dans sa direction. Il
vit qu'elle était très pâle et que ses yeux semblaient
lui dévorer le visage.

Elle le regarda avec stupeur approcher.

— Calista! répéta-t-il, et cette fois sa voix avait un
accent de supplication.

Il était arrivé en haut de la berge au-dessous de
laquelle se tenait la jeune fille quand, poussant un
cri, elle se mit à courir le long de la rivière, remonta
sur la pelouse et fila comme une flèche vers la foule
rassemblée autour du ballon.

— Calista... arrêtez! Arrêtez! cria-t-il.

Voyant qu'elle n'avait pas l'intention de lui obéir,
il s'élança à sa poursuite.

Elle avait déjà une certaine avance parce qu'il

avait été surpris par sa réaction et, d'autre part, il était handicapé par son haut-de-forme et la canne qu'il tenait à la main.

Néanmoins il allait vite.

Calista continuait à courir et se frayait maintenant un chemin à travers la masse des spectateurs.

Elle se faufila au milieu d'eux et c'est seulement quand elle arriva près des hommes cramponnés aux cordes maintenant le ballon au sol qu'elle s'arrêta et regarda par-dessus son épaule.

Helstone était encore à une vingtaine de mètres derrière elle.

— Calista! appela-t-il de nouveau. Arrêtez! Attendez-moi!

Même dans le vacarme de la foule elle avait dû l'entendre.

Mais elle se retourna et repartit presque en aveugle tant était violent son désir de fuir, n'interrompant sa course que quand elle fut à toucher la nacelle du ballon.

Elle s'y agrippa des deux mains. Lord Helstone qui jouait des coudes pour s'ouvrir un passage à travers la cohue et arriver jusqu'à elle eut alors l'impression que son corps s'affaissait comme si elle était épuisée.

Au moment même où il franchissait le dernier rang des spectateurs, il se rendit compte que les amarres avaient été larguées et que le ballon commençait son ascension.

Il montait vite, si vite que Calista ne comprit ce qui se passait que lorsqu'elle fut soulevée de terre.

Lord Helstone se précipita et la foule, s'apercevant de ce qui se produisait, commença à crier :

« Lâche donc! Laisse-toi tomber! Tu vas être emportée! »

Mais Calista s'agrippait toujours à la paroi de la

nacelle rouge. Elle était maintenant à une dizaine de mètres au-dessus des spectateurs, sa jupe flottant dans la brise, les pieds pendant comme ceux d'une poupée.

Lord Helstone retenait son souffle, incapable de proférer un son, la foule même était devenue silencieuse. C'est alors qu'un buste d'homme apparut au-dessus de Calista et deux mains la saisirent aux poignets.

Elle courait encore le risque de tomber quand un autre homme survint. A eux deux, ils la soulevèrent, la hissèrent par-dessus le bord de la nacelle et la déposèrent à l'intérieur.

Un hourra monta de la foule.

Cri de soulagement après l'émotion provoquée par la crainte que la jeune fille s'écrase au sol.

Le ballon avait dépassé la cime des arbres et montait toujours très vite dans le ciel clair.

La tête rejetée en arrière, lord Helstone le regardait avec le sentiment déprimant de ne rien pouvoir faire et l'impression que son cerveau avait cessé de fonctionner.

Tout ce à quoi il était capable de penser, c'est que Calista était emportée loin de lui, presque comme si elle disparaissait complètement de la terre.

— Eh bien, c'est un moyen de se procurer une promenade à pas cher ! entendit-il un spectateur s'exclamer en riant.

— Elle n'aura pas chaud d'ici une heure ou deux, répliqua un autre. Je les ai entendus dire qu'ils ne comptaient pas arriver en France avant 16 heures au moins.

Lord Helstone jeta un dernier coup d'œil au ciel.

Le ballon n'était plus qu'un petit point dans le lointain et la foule s'éloignait pour aller chercher d'autres divertissements.

Il se dirigea vers l'estrade où lord Palmerston l'attendait.

— Ah, vous voilà, Helstone! s'écria-t-il.

Le jeune lord s'avisa que de ce côté personne n'avait pu voir ce qui s'était passé.

— Vous avez envie de rentrer chez vous, je pense, poursuivit lord Palmerston. Je sens que je vais être en retard pour ma réception.

La voiture de lord Palmerston attendait et ils se mirent en route pour Berkeley Square.

— Croyez-vous que Charles Green atteindra Paris sain et sauf? questionna lord Helstone.

Il se demanda si lord Palmerston s'apercevrait qu'il avait la gorge serrée par l'anxiété et qu'il ne parlait pas sur son ton habituel.

— J'en suis sûr, répliqua lord Palmerston. Il possède une grande expérience. Il a réussi des centaines d'ascensions depuis que j'ai assisté à son départ des jardins de Vauxhall. Je ne sais pas s'il parviendra à traverser l'Atlantique en revanche.

Lord Helstone ne répondit rien.

Il pensait que Calista aurait terriblement froid quand le ballon serait à la haute altitude que Charles Green comptait atteindre.

Avaient-ils emporté des vêtements supplémentaires pour eux? Il se posa la question.

Calista était plus maigre que la dernière fois qu'il l'avait vue, il en était certain, et si elle était aussi affamée que Centaure elle opposerait moins de résistance au froid.

Pourquoi avait-elle fui de cette façon? Pourquoi l'avait-elle regardé avec cette expression bizarre qu'il était incapable de déchiffrer?

La voiture s'arrêta.

— Merci de m'avoir accompagné, Helstone, dit lord Palmerston. Vous verrai-je demain?

— Ma foi, non. Je pars pour la France.

Il descendit de voiture sans laisser à lord Palmerston le temps de l'interroger plus avant et entra précipitamment chez lui.

Il donna ses ordres avec netteté et concision au maître d'hôtel puis monta quatre à quatre se changer et dire à Travis qu'il avait cinq minutes, pas plus, pour préparer son nécessaire de voyage.

C'est un témoignage éclatant de la bonne organisation régnant dans sa maison que moins d'un quart d'heure plus tard il sortait son phaéton de Helstone House et le lançait dans le flot des voitures en direction de la route de Douvres.

Le record que le prince régent avait établi en mettant deux heures cinquante-trois minutes pour gagner Brighton avait été battu maintes fois depuis sa mort, mais le comte de Helstone arriva à Douvres en un temps qui pulvérisait tous les autres records. Il ne se soucia d'ailleurs pas de le vérifier.

Comme beaucoup de ses contemporains fortunés, il faisait héberger des chevaux à lui sur toutes les routes principales afin de ne pas être réduit à conduire les rosses de louage que l'on offrait dans les relais de poste.

Sur les routes de Douvres et de Newmarket, il disposait de quelques bêtes extrêmement rapides, si bien qu'il eut la possibilité de changer fréquemment d'attelage, sans se reposer lui-même à aucune des étapes.

Il but toutefois un verre de vin aux deux dernières et, son valet le remarqua, il ne donnait pas le moindre signe de fatigue quand ils arrivèrent à Douvres avant 10 heures.

Son yacht était amarré dans le port et, selon ses instructions, prêt à prendre la mer à tout moment.

Il avait de temps à autre une envie irrésistible de

s'éloigner du tourbillon mondain et, plusieurs fois par an, il se rendait à Douvres, embarquait sur l'*Hippocampe,* faisait une croisière le long des côtes, puis reparaissait dans la haute société aussi soudainement et d'une façon aussi imprévue qu'il l'avait quittée.

Vingt minutes après son arrivée à bord avec Travis et ses bagages, les voiles étaient hissées et l'*Hippocampe* sortait du port, poussé par la brise nocturne.

La lune rendait la nuit toute claire. Le comte resta longtemps sur le pont. Il savait que la traversée serait à la fois bonne et rapide et il était content de posséder un des navires les plus rapides de l'époque.

Son intention, autant que possible, était de rejoindre Calista dès son atterrissage en France.

Il connaissait l'endroit où l'on attendait l'arrivée de Charles Green, mais cela ne voulait pas dire que des vents contraires ou des erreurs de navigation ne bouleverseraient pas ses plans.

Lord Helstone ne pouvait s'empêcher de se rappeler que la première fois où le *Royal Vauxhall* s'était envolé pour franchir la Manche, Charles Green avait voulu se poser en France mais avait finalement mis pied à terre en Allemagne.

Le ballon était demeuré dix-sept heures à haute altitude et Charles Green avait reconnu que le froid y était intense.

Cela se situait toutefois deux ans auparavant. Depuis, Green avait acquis de l'expérience. Lord Helstone s'aperçut que ses mains se crispaient d'angoisse à l'idée de Calista frissonnant dans les airs.

Même cela ne lui ouvrit pas les yeux sur ce qu'avait d'inhabituel le fait qu'il se ronge d'inquiétude pour quelqu'un d'autre que lui-même.

Jamais il n'avait éprouvé une seconde d'anxiété pour les autres jolies femmes avec qui il avait passé une si grande partie de son temps et pour qui il avait dépensé tant d'énergie et d'argent.

Ce qu'elles devenaient quand elles n'étaient pas en sa compagnie ne l'avait jamais tourmenté.

Mais à présent la seule chose qui comptait c'est que Calista ne souffre pas et qu'il puisse veiller sur elle et la protéger aussitôt qu'elle serait revenue à terre.

Pourquoi? Pourquoi l'avait-elle fui? Il ne trouvait pas de réponse à la question qui l'obsédait.

Lui déplaisait-il au point qu'elle préférait se réfugier à bord d'un ballon plutôt que de subir sa présence?

Pourquoi avait-elle envisagé – il ne doutait pas que c'est ce qu'elle avait en tête – de se jeter dans la Serpentine?

Il avait l'impression, il ne savait trop pourquoi, qu'elle ne savait pas nager et, si elle s'était jetée à l'eau, il y aurait eu peu de chance que quelqu'un la remarque.

Le moment était parfait pour passer inaperçu. L'attention générale se concentrait sur l'ascension du ballon et même si elle avait crié involontairement personne ne l'aurait entendue.

Mais pourquoi? Pourquoi?

La question surgissait sans arrêt dans son esprit au point qu'il se demanda si cette obsession n'allait pas le rendre fou.

La route était mauvaise au départ de Calais pendant quelques kilomètres et les seuls chevaux que lord Helstone avait pu louer n'étaient pas des bêtes de prix.

S'il avait eu plus de temps, il aurait pris à bord son phaéton et l'attelage avec lequel il était arrivé à

Douvres, mais le transport des chevaux par mer est toujours une opération délicate qui ne supporte pas la hâte.

En débarquant à Calais, il avait donc donné instructions au capitaine de l'*Hippocampe* de retourner à Douvres chercher son phaéton, ses chevaux et palefreniers qui seraient maintenant prêts à embarquer et de leur faire traverser la Manche jusqu'à Calais.

Les chevaux français qu'il avait loués n'avaient guère de mine et moins encore de pedigree, mais il réussit à obtenir d'eux une allure appréciable, car ils étaient bien dressés et faciles à conduire.

Au relais de poste suivant, il dut s'avouer que les chevaux qu'il avait obtenus valaient autant sinon même mieux que ceux dont disposaient les relais en Angleterre.

La journée était toutefois très avancée quand il arriva enfin aux abords de Paris et il eut du mal à découvrir le terrain dégagé où Charles Green avait dit qu'il comptait atterrir.

Il parcourut des routes étroites, demanda à plusieurs paysans à l'esprit extrêmement lent s'ils avaient vu un ballon et finalement, comme la frustration commençait à le rendre irritable, Travis poussa une exclamation en tendant la main, un doigt pointé :

— Là-bas, m'lord! Je le vois!

Lord Helstone regarda entre des troncs d'arbres et aperçut à moitié couché sur le sol le ballon rayé rouge et blanc de Charles Green à qui son enveloppe en partie dégonflée prêtait une apparence assez cocasse.

Il y avait beaucoup de gens rassemblés autour et il n'eut aucune difficulté à apprendre que les aéronautes s'étaient rendus dans l'auberge la plus proche, l'*Hôtellerie des Cloches* qui, lui dit-on, ne se trouvait qu'à un kilomètre et demi de là.

Ses chevaux fatigués fournirent un ultime effort. Ils étaient couverts de sueur quand Lord Helstone les arrêta devant une auberge petite mais attrayante, comme il y en a beaucoup dans la banlieue de Paris.

Jetant ses rênes à Travis, il descendit de voiture et entra dans l'Hôtellerie.

La patronne, vêtue de noir, s'avança pour le saluer et il demanda sans préalable en excellent français :

— Les aéronautes sont-ils ici, madame, et y a-t-il une dame avec eux?

— Les aéronautes sont dans la salle à manger, monsieur, répliqua-t-elle en ouvrant une porte donnant dans une longue pièce au plafond bas où étaient disposées des tables.

A un bout, lord Helstone aperçut Charles Green.

Il s'avança et l'aéronaute se leva avec une expression de stupeur.

— Est-ce possible que vous soyez arrivé ici si vite, mylord? s'exclama-t-il.

— J'ai une bonne raison pour vous suivre. Ma fiancée, miss Chevington, a été emportée avec vous par erreur.

— Votre fiancée? répéta Charles Green avec surprise. (Il ajouta vivement :) Tout ce que je puis dire, mylord, c'est qu'il est très regrettable que cette jeune demoiselle ait été soulevée de terre quand le ballon a entamé son ascension mais, comme vous vous en êtes rendu compte j'espère, nous ne pouvions que la prendre avec nous.

— Elle va bien?

Charles Green hésita une seconde.

— Elle a énormément souffert du froid, mylord.

Nous sommes arrivés ici il y a une demi-heure et on l'a fait monter et coucher aussitôt. Je pense que la patronne a envoyé chercher un médecin.

Lord Helstone pivota sur ses talons et quitta la salle à manger.

La patronne l'attendait dans le petit hall d'entrée.

— Voudriez-vous avoir l'obligeance de me conduire auprès de la jeune femme qui est souffrante? demanda-t-il.

— Par ici, monsieur.

Il la suivit à l'étage.

L'hôtellerie était très vieille et il devina qu'elle ne devait pas comporter plus de deux ou trois chambres de voyageurs.

La patronne ouvrit une porte.

A l'intérieur d'une petite pièce au plafond bas, il vit Calista couchée dans un lit carré à la mode française, garni de hauts matelas de plumes.

A côté d'elle se tenait un homme en redingote, le médecin pensa-t-il, et aussi une domestique entre deux âges, en bonnet et tablier blancs.

Le médecin qui prenait le pouls de Calista ne se retourna pas à l'entrée de lord Helstone.

— Est-ce vous, madame Beauvais? questionna-t-il. Je veux vous dire deux mots au sujet de cette jeune personne. Il lui faut des soins attentifs.

— Je compte sur vous pour y veiller, docteur, répliqua lord Helstone.

Le médecin leva la tête.

— Est-ce votre femme, monsieur?

— Non, docteur, ma fiancée.

— Alors vous devriez veiller un peu mieux sur elle, riposta sèchement le médecin. D'après ce que j'ai entendu dire sur la manière dont elle est arrivée ici, cette jeune demoiselle aura beaucoup de chance si elle s'en tire sans pneumonie.

Calista eut un mouvement brusque et gémit.

Lord Helstone quitta aussitôt le fauteuil dans lequel il était assis à l'autre bout de la pièce et s'approcha du lit.

Il vit qu'elle était encore inconsciente et que son visage était enfiévré. Quand il se pencha pour lui tâter le front du bout des doigts, il comprit qu'elle avait une forte température.

Le médecin l'avait prévenu.

— Combien de temps restera-t-elle sans connaissance, docteur? avait-il demandé.

— Je n'en ai aucune idée, mylord. J'espère qu'elle ne fera pas de pneumonie mais elle aura sûrement de la fièvre.

— J'aimerais avoir une ou plusieurs infirmières expérimentées.

Le médecin hocha la tête d'un air dubitatif.

— En trouver une ce soir est impossible, mylord, mais demain je vous amènerai une religieuse qui est la meilleure infirmière que je connaisse.

— Je me débrouillerai seul ce soir.

— Alors parfait.

Le médecin lui avait donné ses instructions concernant les médicaments à administrer si Calista reprenait connaissance. Puis, après lui avoir de nouveau tâté le pouls, il avait dit :

— Mademoiselle est jeune et, je suppose, solide. Les effets de cette aventure ne devraient pas être désastreux.

— Espérons que vous avez raison, docteur.

— Comme toujours, mylord, c'est entre les mains des dieux, avait répliqué allégrement le médecin.

Travis avait supplié lord Helstone de le laisser veiller Calista.

— Vous avez besoin de votre repos, m'lord. Vous avez eu une rude journée hier et très peu de sommeil la nuit dernière pendant que nous traversions la Manche.

— J'en ai eu suffisamment et je préfère m'occuper moi-même de miss Chevington.

— Vous n'aurez qu'à tirer le cordon de sonnette, m'lord, et je viendrai immédiatement.

— Je n'en doute pas. Merci, Travis.

Le valet l'avait aidé à se déshabiller puis, vêtu d'une longue robe de chambre dont la magnificence détonnait dans cette hôtellerie modeste, il s'était rendu dans la chambre de Calista et avait vérifié s'il avait sous la main tout ce dont elle pourrait avoir besoin pendant la nuit.

Les médicaments ordonnés par le médecin n'avaient pas l'air délicieux, mais il espéra qu'ils seraient efficaces.

Il y avait de la citronnade toute fraîche pour le cas où Calista aurait soif et, sur la demande de Lord Helstone, un pot de bouillon avait été placé dans un panier rempli de foin pour le garder chaud.

Il n'avait pas oublié que Centaure mourait de faim quand Calista l'avait fait amener à ses écuries, et il était certain qu'elle avait dû dépenser son dernier centime avant de songer à se noyer dans la Serpentine.

Le bouillon, avait dit la patronne, était plus nourrissant qu'une demi-douzaine de biftecks et quand il avait été retiré du feu dans la cuisine et déposé dans le panier, il était en pleine ébullition. Lord Helstone était sûr qu'il ne refroidirait pas avant plusieurs heures.

Calista gémit de nouveau et tourna la tête d'un côté à l'autre.

Elle essaya aussi de rejeter les couvertures, mais il les ramena sur elle, sachant essentiel de la tenir au chaud.

C'est vrai que la chambre basse de plafond était étouffante et la nuit était douce au-dehors.

Après le départ du médecin, lord Helstone s'était entretenu avec Charles Green et avait appris qu'à la haute altitude atteinte par le ballon la température était extrêmement froide, une fois le soleil couché.

Charles Green et les deux hommes qui l'accompagnaient dans cette ascension avaient enveloppé Calista dans les couvertures dont ils s'étaient munis et l'un d'eux avait même ôté son bonnet doublé de fourrure pour le lui donner.

Lord Helstone avait exprimé sa gratitude, mais il se rendait bien compte que les aéronautes avaient considéré la jeune fille comme une charge dont ils se seraient bien passés, encore que Charles Green ait eu l'habitude d'avoir des passagères dans son ballon. Son épouse était elle-même une aéronaute expérimentée et l'accompagnait ordinairement dans ses expéditions.

Les aéronautes avaient hâte de se rendre à Paris afin de transmettre la lettre de lord Palmerston au ministre des Affaires étrangères et aussi de donner aux journaux les détails et croquis du Couronnement qu'ils avaient emportés avec eux.

Ils n'avaient pas encore terminé leur repas quand des personnages officiels se présentèrent à l'hôtellerie pour saluer Mr Green. Ils lui dirent que Paris était enthousiasmé par ce nouvel exploit aérien et que le Premier ministre était prêt à le recevoir.

Les aéronautes se hâtèrent donc de partir, sans témoigner grande inquiétude pour Calista, et lord Helstone comprit qu'ils étaient heureux d'être débarrassés de cette responsabilité. Il ne put s'empêcher de se demander ce qui serait advenu de la jeune fille s'il n'était pas arrivé.

Sa distinction naturelle et le fait qu'il était manifestement riche rendirent le patron de l'hôtellerie et son épouse on ne peut plus désireux de se mettre en quatre pour lui fournir tout ce qu'il demandait.

Travis n'avait pas été le seul à proposer de veiller Calista. La femme de chambre avait offert ses services et de même la patronne en personne. Mais lord Helstone était décidé à s'en occuper lui-même.

Regardant la jeune fille qui s'agitait fiévreusement, il se dit qu'elle était bien fragile.

Une fois de plus, il se sentit envahi par ce désir de protéger qu'il n'avait jamais éprouvé auparavant. Il voulait lui épargner non seulement la souffrance physique mais aussi tout chagrin. Il voulait s'interposer entre elle et le monde extérieur et il avait l'indéniable certitude qu'il ne serait pas heureux tant qu'elle ne l'aurait pas épousé.

Ses cheveux blonds lui tombaient dans les yeux et il dégagea son front avec douceur tout en s'asseyant au bord du lit.

— J'ai... froid, marmotta-t-elle. Si... froid... je... je tombe... j'ai peur de tomber...

— Vous êtes en sécurité, dit-il de sa voix profonde. Vous n'avez pas froid, Calista, et il n'y a plus aucun risque que vous tombiez. Vous êtes en sécurité.

Elle se retourna presque violemment de l'autre côté et cria avec force :

— Au voleur... A l'aide!... Arrêtez-le... Oh, arrêtez-le!

Il comprit qu'il avait vu juste en supposant que quelqu'un avait dû la voler. Il dit doucement, avec calme :

— Dormez, Calista. Inutile de vous tourmenter. Vous êtes en sécurité, c'est fini.

— Centaure... Centaure... qu'allons-nous faire?

La voix de Calista était devenue très basse et elle avait un accent d'effroi qui n'échappa pas à lord Helstone.

— Tu as faim... Oh, mon ami... je ne peux pas supporter l'idée que tu sois affamé... J'ai faim, moi aussi... Mais nous n'avons pas d'argent... pas un sou! (Il y eut un silence, puis elle reprit :) Je... je l'aime! Je l'aime, Centaure, mais je ne peux pas le lui dire... il ne veut pas d'attaches... il veut être libre... Il ne faut pas qu'il sache... jamais... que... je l'aime.

Sa voix exprimait une telle souffrance qu'il se pencha pour la prendre dans ses bras.

Elle se retourna d'un mouvement convulsif et se blottit contre lui, une main cramponnée au revers de sa robe de chambre de brocart.

— Aide-moi, Centaure, chuchota-t-elle. Je suis si malheureuse... si affreusement triste... sans lui! Mais nous n'y pouvions rien... à part nous en aller... S'il apprenait que je l'aime, il... il serait gêné et cela je... je ne pourrais pas le supporter.

Les bras de lord Helstone resserrèrent leur étreinte autour de la jeune fille qui continua d'une voix déchirante :

— Il ne faut pas... qu'il le sache... jamais. Cela doit rester un secret. Il avait raison... absolument raison, Centaure... nous ne pouvons pas nous en tirer seuls. Tu as faim et moi aussi... Il s'occupera de toi si je t'envoie chez lui.

Elle poussa un petit soupir puis, d'une voix qui fendit le cœur de lord Helstone, elle murmura :

— Sans... toi et... sans lui, Centaure... que puis-je faire sinon mourir... mourir...

Il la pressa contre lui et déclara avec douceur :

— Vous n'allez pas mourir. Vous allez vivre. Dormez, Calista, je vous promets que tout s'arrangera.

Comme si ses paroles étaient parvenues jusqu'à la conscience de la jeune fille, elle se pelotonna contre lui.

Puis elle murmura si bas qu'il l'entendit à peine :

— Je l'aime! Je... l'aime... de tout mon cœur.

La religieuse entra dans la pièce, portant un énorme vase rempli de lis.

Calista s'assit dans son lit et poussa une légère exclamation de ravissement.

— Comme c'est beau! J'ai toujours aimé les lis.

— Moi aussi, répliqua la religieuse. Ce sont les fleurs de la Mère de Dieu et elles ont pour ainsi dire quelque chose de sacré.

— J'adore leur parfum.

— Je vais les installer près de votre lit, déclara la religieuse en souriant.

Elle posa le vase sur la table à côté de Calista.

C'était une femme au visage agréable, âgée d'une bonne quarantaine d'années, revêtue du costume des Petites Sœurs de Marie qui sont spécialisées dans les soins aux malades et aux personnes âgées.

Depuis une semaine que Calista avait repris connaissance, elle en était venue à éprouver une sincère affection pour cette femme qui ne possédait rien au monde mais se dévouait au service d'autrui.

— Lord Helstone est-il rentré? questionna Calista.

— Il est revenu de Paris il y a un quart d'heure, répondit la religieuse. Il était accompagné d'un monsieur avec qui il dîne en bas à présent.

— J'ai mangé tout ce qu'on m'a servi ce soir, dit Calista. Je vais engraisser si je reste ici plus longtemps. La nourriture est tellement bonne.

La religieuse sourit.

— Vous êtes rétablie, ma petite. Le médecin a dit que vous pourriez vous lever demain, mais il ne faudra pas faire d'imprudences.

— Je me sens très bien et tout ce que je souhaite c'est aller au soleil. Je suis lasse de garder le lit.

La religieuse rit.

— Oui, vous êtes réellement guérie et vous n'aurez donc plus besoin de moi.

Calista la regarda d'un air inquiet.

— Vous ne me quittez pas?

— Je ne reviendrai pas demain. Il y a d'autres malades à qui mes soins sont nécessaires et, comme vous le dites vous-même, vous êtes maintenant en bonne santé.

— Mais je ne veux pas vous perdre! s'exclama Calista. Vous avez été si gentille, si parfaite pour moi.

— J'ai été très contente de m'occuper de vous, mais dans notre Ordre nous nous efforçons de ne pas trop nous attacher à nos malades. Si nous le faisons, les quitter est toujours pénible.

— Je suis navrée d'avoir à me séparer de vous, dit Calista avec regret.

— Lord Helstone veillera sur vous. Il vous est très attaché. Il était fou d'anxiété quand vous étiez si mal.

Calista baissa les yeux sans répondre. Ses cils paraissaient encore plus noirs sur ses joues pâles.

La religieuse disait vrai : Lord Helstone s'était

montré extrêmement prévenant pendant sa maladie à l'hôtellerie.

Les rôles étaient inversés : c'était maintenant lui qui s'asseyait à son chevet pour lui raconter ce qui se passait au-dehors, qui jouait avec elle aux échecs et qui lui apportait des livres.

Au début, elle se sentait trop faible même pour lui parler. Puis, avec la faculté de récupération de la jeunesse, elle avait reconquis de jour en jour la santé. La nourriture délicieuse et réconfortante semblait lui donner de nouvelles forces à chaque repas.

Lord Helstone ne l'avait pas interrogée sur ce qui s'était produit, mais elle savait que tôt ou tard ils seraient amenés à en parler.

Elle devrait essayer d'expliquer pourquoi elle avait pris la fuite quand il l'avait aperçue au bord de la Serpentine et pourquoi elle avait été assez sotte pour se laisser emporter par le ballon.

Calista tremblait rien que de penser à cette terrifiante expérience.

Elle avait été fascinée au début en voyant, tandis qu'ils s'élevaient avec rapidité, la terre au-dessous d'elle rapetisser de plus en plus et les gens, y compris lord Helstone, devenir invisibles.

Puis, l'ascension continuant, elle prit conscience avec acuité qu'elle ne portait qu'une mince robe de mousseline et n'avait rien pour se protéger la tête.

Charles Green, naturellement, l'avait tancée d'importance pour s'être agrippée à la nacelle.

— Comment avez-vous pu commettre la stupidité, la bêtise ridicule de vous laisser entraîner de cette façon? s'était-il exclamé avec fureur.

— Je me rappelle que, voici quelques années, un garçonnet en avait fait autant, commenta un autre aéronaute.

— Pas du tout! avait protesté Charles Green. Il

208

s'était trouvé coincé dans les amarres et avait dû
être hissé à bord parce que c'était la seule solution.

— Il n'y a pas d'autre solution non plus pour
cette passagère clandestine, avait conclu l'autre en
souriant.

Il avait raison, Calista s'en rendait compte. Ils ne
pouvaient guère la jeter par-dessus bord et, quand
ses dents commencèrent à claquer et que des fris-
sons la secouèrent, la colère de Charles Green se
dissipa et il lui donna toutes les couvertures dispo-
nibles.

Néanmoins, au cœur de la nuit, elle eut de plus en
plus froid.

Plus tard, lorsque le ballon fut dégonflé pour
entamer la descente, jamais elle n'avait imaginé que
ce serait aussi effrayant. Elle crut qu'elle allait tomber sur un arbre ou dans un lac.

Elle était absolument terrifiée.

Elle savait n'avoir qu'elle-même à blâmer mais
voir le comte juste au-dessus d'elle sur la berge de la
Serpentine, à l'instant précis où elle avait décidé de
se jeter à l'eau, lui avait causé un tel choc qu'elle
avait réagi sans réfléchir.

Sa seule idée avait été qu'elle devait lui échapper,
qu'elle devait empêcher qu'il comprenne dans quelle
piteuse situation elle se trouvait ou pour quelle raison elle l'avait fui la première fois.

Elle n'avait que trop conscience de ce qu'il pensait
de leur futur mariage. Il faisait contre mauvaise fortune bon cœur mais il n'avait aucun désir de se
marier.

Il voulait être libre et elle se sentait incapable
d'admettre le genre d'union dont il lui avait parlé.

L'aimant comme elle l'aimait, comment admettre
son idée qu'ils pouvaient construire leur union sur
des goûts communs et ce qu'il appelait une résolu-

tion intelligente de se rendre mutuellement heureux?

Elle s'était dit qu'elle l'aimait et que vivre serait impossible s'il était gentil avec elle simplement par pitié ou par obligation.

« Je veux qu'il m'aime », avait-elle murmuré, en songeant qu'il n'existe pas de souffrance plus grande que d'aimer un homme incapable de vous rendre la pareille.

La religieuse rentra dans la chambre, habillée de son manteau noir et prête à retourner au couvent.

— Au revoir, ma petite. J'ai été très heureuse de vous connaître. Puisse Dieu vous donner beaucoup de bonheur à l'avenir.

— Merci, répondit Calista, en songeant que c'était peu probable, et merci, chère sœur Thérèse, pour m'avoir soignée et m'avoir guérie.

Elle aurait bien voulu embrasser la religieuse, mais elle craignit que ce soit déplacé. Elle se contenta donc de lui serrer la main et il y avait quelque chose qui ressemblait à des larmes dans ses yeux quand la sœur Thérèse sortit de la pièce.

« Maintenant, je vais être seule avec lui », pensa la jeune fille, et elle se demanda quels seraient ses projets à présent qu'elle se trouvait assez bien pour quitter l'hôtellerie.

Elle entendit son pas dans l'escalier et serra nerveusement ses doigts.

La sœur Thérèse l'avait coiffée avant le dîner et elle portait une des chemises de soie ornées de magnifiques broderies que lord Helstone avait achetées pour elle à Paris, avec un châle de soie douillet bordé d'une large dentelle.

La chambre était pleine de fleurs en plus des lis.

Chaque jour, lord Helstone lui apportait des roses et des œillets de toutes les couleurs qu'il avait achetés au marché aux fleurs à Paris ou aux marchandes installées sur les marches de l'église de la Madeleine.

La pièce, se dit Calista, ressemble plus à un jardin qu'à une chambre à coucher. Elle attendit lord Helstone en souhaitant qu'il la trouve jolie.

Elle avait le visage plus coloré et elle n'était plus aussi maigre que lorsqu'elle s'était enfin sentie assez bien pour se regarder dans la glace.

La porte s'ouvrit et lord Helstone entra.

Elle fut aussitôt frappée par son élégance dans sa tenue de soirée, par la hauteur de sa stature et la puissance de ses épaules que faisait ressortir la pièce au plafond bas.

Avec surprise elle constata qu'il n'était pas seul; il y avait un autre homme derrière lui.

Lord Helstone s'approcha du lit et Calista vit qu'il tenait un bouquet de fleurs à la main, toutes blanches. Des œillets, des roses et du muguet.

Elle jeta un coup d'œil aux fleurs puis à l'inconnu entré à sa suite et remarqua qu'il portait un surplis.

Son regard était inquiet quand elle le tourna vers lord Helstone qui s'était arrêté près d'elle.

— Le chanoine Barlow, de l'Eglise britannique à Paris, a eu la bonne grâce de venir ici pour nous marier, Calista, déclara-t-il.

Tandis qu'elle poussait une exclamation étouffée, il posa le bouquet devant elle et lui prit la main.

Sentant qu'elle tremblait, il dit avec douceur :

— La cérémonie ne sera pas longue.

Calista voulut parler, mais la voix s'étouffa dans sa gorge.

Elle ne put que le regarder avec des yeux effarés puis, comme il lui adressait un sourire rassurant, le chanoine qui avait ouvert son livre de prières commença l'office de mariage.

Lord Helstone donna ses réponses d'une voix ferme et forte, celle de Calista par contre était basse et presque inaudible.

Cependant les paroles merveilleuses étaient dites et quand l'alliance encercla le doigt de la jeune fille, quand leurs mains furent jointes, le chanoine les bénit.

Un silence suivit la bénédiction. Ensuite, refermant le livre de prières, le chanoine déclara sur le ton de tous les jours :

— Permettez-moi d'être le premier à vous féliciter, mylord, et à vous, lady Helstone, puis-je souhaiter toutes les joies imaginables maintenant et à jamais?

— Merci, parvint à murmurer Calista.

— Je sais que vous avez hâte de retourner à Paris, monsieur le chanoine, dit lord Helstone. Ma voiture vous attend en bas.

— Merci. J'ai un rendez-vous assez important à 9 heures.

— Vous arriverez à temps.

— Je n'en doute pas. Vos chevaux, mylord, sont hors de pair.

— Je suis heureux de vous l'entendre dire, répliqua courtoisement lord Helstone.

Les deux hommes quittèrent la pièce et Calista entendit décroître le bruit de leurs pas sur les marches de bois de l'escalier.

Elle resta immobile, mais tout tournait dans sa tête!

Comment cela avait-il pu arriver? Pourquoi l'avait-il épousée avec tant de précipitation et sans l'avertir de ses intentions?

Elle avait envisagé un certain nombre d'arguments pour le convaincre qu'il n'était nullement obligé de devenir à contrecœur son mari; mais elle croyait avoir largement le temps de les énoncer et de discuter la question.

Et voilà ce qui s'était produit!

Elle se demanda pourquoi elle n'avait pas protesté aussitôt quand il avait amené le prêtre dans la pièce, mais c'est qu'elle avait été médusée, désorientée au point qu'elle n'avait su que lui obéir!

Elle était sa femme...

Au moment même où, à cette idée, une exaltation irrépressible l'envahissait, elle l'entendit remonter l'escalier.

Il entra dans la pièce et, refermant la porte derrière lui, se mit à la contempler — à contempler ses cheveux blonds aux reflets de cuivre et le petit visage pâle et effrayé qu'ils encadraient, où une interrogation se lisait dans les yeux gris-vert.

Il sourit et elle songea qu'il paraissait heureux.

— Il fait chaud ce soir, dit-il sur un ton banal. Serai-je pardonné si j'enlève ma veste?

Sans attendre la réponse, il ôta son élégante veste ajustée et la jeta sur une chaise.

Dans sa chemise de fine mousseline, avec sa cravate artistement nouée, il avait un air détendu, très viril.

Calista détourna timidement les yeux et le rose lui monta aux joues quand il traversa la pièce et vint s'asseoir sur le lit en face d'elle.

Il ne dit rien et au bout d'un instant elle murmura :

— Pourquoi... pourquoi vous êtes-vous marié avec moi comme ça?

— J'avais trois bonnes raisons. Premièrement parce que j'estimais qu'il n'était que juste envers Centaure de légaliser sa situation. Il m'a dit qu'il en avait assez d'être rejeté de l'un à l'autre.

Calista sourit légèrement comme si elle ne pouvait pas s'en empêcher.

— Deuxièmement, je suis vraiment trop vieux pour être continuellement roué de coups dans des cirques et forcé de traverser la Manche à la nage pour rattraper un ballon!

Un petit éclat de rire échappa à Calista et il poursuivit :

— Enfin, ce qui est d'ailleurs de beaucoup le plus important, je t'aime, ma chérie.

Elle se figea. Puis comme le regard de la jeune fille se levait vers le sien, il déclara avec douceur :

— C'est vrai! Je t'aime. Je suis incapable de vivre sans toi... et je n'ai pas non plus l'intention de courir le risque de te perdre à nouveau.

— Tu... tu en es sûr?

— Tout à fait sûr. Je ne savais pas qu'on pouvait souffrir autant que tu m'as fait souffrir depuis ta disparition de l'auberge. Comment as-tu pu m'infliger quelque chose d'aussi cruel?

Elle baissa les yeux et, comme il posait sa main sur la sienne, il sentit qu'elle tremblait.

— Je pensais que... tu voulais être libre et l'idée d'être mariée avec quelqu'un qui ne voulait pas de moi m'était insupportable.

— Même quelqu'un que tu aimais?

Elle releva vivement les yeux et rougit.

— Comment le sais-tu?

— Tu me l'as dit.

— Quand ça?... Quand j'avais le délire?

— Tu m'as dit tout ce que je souhaitais entendre. Que tu m'aimais et que tu étais prête à mourir à cause de cet amour.

Calista murmura quelques mots indistincts avec embarras et se rapprocha instinctivement de lui pour cacher son visage contre son épaule.

Il la serra dans ses bras.

— J'ai été vraiment stupide, reprit-il. Je n'avais pas compris que tu étais ce que j'avais cherché toute ma vie — une femme qui m'aime pour moi-même et qui tienne tant à moi que son amour serait parfaitement désintéressé. (Il resserra son étreinte en continuant :) D'autre part, mon trésor, comment oses-tu essayer de te détruire alors que tu es mienne et que tu m'appartiens?

— Je ne pouvais pas supporter l'idée que... tu sois gentil avec moi uniquement par... par pitié.

— J'aurais dû te dire que je t'aimais quand nous étions ensemble à l'auberge. Mais j'étais si bête que je ne me suis pas rendu compte que ces émotions que tu éveillais en moi et que je n'avais encore jamais ressenties étaient ce après quoi j'aspirais depuis toujours. (Il eut un petit rire et ajouta :) J'étais fou de jalousie envers le clown qui avait mis son cœur à tes pieds! J'étais jaloux des chevaux qui mobilisaient tant ton attention! Mais même ainsi j'ai compris que c'était par amour seulement quand je t'ai perdue et que j'ai cru ne jamais te retrouver.

— C'est vrai... tu étais inquiet? murmura Calista.

— Tu ne me quitteras plus jamais, déclara-t-il d'un ton catégorique. Je ne le supporterais pas, je n'aurais plus la force de survivre au chagrin et à l'anxiété que j'ai éprouvés ces dernières semaines. (Il la serra plus étroitement et ajouta :) Tu as bien des choses à te reprocher, ma mignonne, mais l'amère expérience m'a rendu plus sage. C'est pourquoi je t'ai épousée ce soir. Je ne voulais pas te laisser sortir de cette chambre avant que tu sois liée à moi par le mariage.

— Tu m'aimes? Tu m'aimes... vraiment? questionna la jeune fille comme si elle ne parvenait pas à y croire.

— Il me faudra le prouver pour que tu n'aies plus aucun doute. Nous avons tout le temps nécessaire.

Il pencha la tête et en même temps releva du bout des doigts le menton de Calista, tournant son visage vers lui. Puis ses lèvres se posèrent sur les siennes.

Une sensation inconnue envahit la jeune fille et monta comme une vague ardente jusqu'à sa gorge et sa bouche.

Une sensation de plénitude si radieuse qu'elle comprit que c'était l'amour. C'était cela qu'elle avait voulu trouver chez l'homme qu'elle épouserait — et que lui trouve en elle.

Un émerveillement, un contentement, une ivresse comme elle n'avait jamais imaginé qu'on puisse en éprouver sur terre.

Puis, comme il sentait ses lèvres répondre à la pression des siennes et la douceur de son corps se fondre avec le sien, son baiser se fit plus exigeant, plus passionné, plus insistant.

Calista eut l'impression que la pièce tourbillonnait et disparaissait, les laissant — elle et lui — seuls dans le soleil. Et plus rien n'exista que leur amour.

Il redressa la tête.

— Je t'aime, mon insaisissable aimée! Je t'aime. Je ne savais pas qu'une femme pouvait être si belle, si parfaite, si adorable.

— Je t'aime, chuchota-t-elle. J'ai toujours su... ce que serait l'amour si jamais je le trouvais.

— Nous l'avons découvert ensemble.

Et il couvrit de baisers ses yeux, ses joues, son petit nez et, de nouveau, sa bouche.

Un long moment passa avant que Calista dise d'une voix hésitante :

— Sommes-nous obligés de rentrer tout de suite

prévenir maman et les autres que... nous sommes mariés?

— Nous ne rentrerons qu'après une longue lune de miel.

Il vit ses yeux s'illuminer.

— Nous... pourrons rester seuls?

— Tout à fait seuls, répliqua-t-il avec un sourire. A moins que tu ne comptes les chevaux que j'ai achetés pour toi.

— Des chevaux? s'exclama-t-elle d'un ton interrogateur.

— Je pense qu'ils auront ton approbation. Ils ont du sang arabe.

— Oh, c'est merveilleux! J'ai si souvent rêvé de me promener à cheval avec toi. C'est ce que je désirais plus que tout.

Il l'embrassa doucement, puis déclara :

— J'ai fait des quantités de projets. D'abord nous irons à Paris parce que si je t'ai acheté quelques robes, ma chérie, j'ai l'impression que tu auras besoin d'un trousseau complet — et qui pourrait mieux le fournir sinon les couturiers de Paris?

— Tout ce que je veux, c'est une amazone! répliqua impulsivement Calista. Non, ce n'est pas vrai! Je veux être jolie pour... pour toi.

— Tu es ravissante dans n'importe quelle tenue, même avec cet horrible pantalon et cette casaque de jockey que tu portais le soir où nous nous sommes promenés ensemble dans le jardin.

— Je t'ai choqué? demanda Calista en souriant.

— Je le suis encore! Je te garantis que je ne te permettrai pas de t'habiller ainsi, sauf quand nous serons seuls tous les deux.

Calista rit.

— Auquel cas je pourrais aussi bien n'avoir sur

moi que ce que j'ai maintenant... c'est-à-dire pratiquement... rien!

Lord Helstone sourit mais il y avait comme une
flamme dans son regard.

— Je disais bien que tu étais un petit démon provocant! Cherches-tu à me provoquer, chérie?

Son ton passionné la fit rougir et elle dissimula
son visage contre son épaule.

— Quand nous en aurons assez de Paris, poursuivit-il d'une voix plus calme, je pense que nous pourrons aller à Vienne. Je suis sûr qu'il te plaira de voir
les étalons de l'Ecole d'équitation espagnole.

Elle eut une exclamation ravie.

— D'où t'est venue cette idée? Rien au monde ne
me ferait plus plaisir. (Puis elle ajouta timidement :)
Mais ce sera splendide... seulement parce que tu es
avec moi.

— Cela te permettra d'apprendre de nouveaux
tours à enseigner à Centaure et quand nous serons
revenus chez nous nous pourrons commencer à tenter d'obtenir un nouvel Eclipse.

Après un petit silence, il ajouta très doucement :

— Et peut-être pourrons-nous essayer ensemble
d'avoir une progéniture exceptionnelle issue de
nous-mêmes.

— Je sais qu'un fils de toi serait aussi... aussi
magnifique que Godolphin Arabian, chuchota
Calista.

— Et une fille de toi, mon amour, serait aussi
belle que Rozana.

Elle se pressa contre lui et il la sentit vibrer à son
contact.

— J'ai un cadeau pour toi, dit-il en déposant un
baiser sur ses cheveux.

Il se pencha pour attirer à lui la veste qu'il avait
posée et sortit de sa poche un mince livre broché.

Quand Calista l'aperçut, elle s'exclama avec joie :

— C'est le livre qu'avait Coco! Le livre où il y a l'histoire de Scham et d'Agba!

— Je l'ai trouvé dans une vieille librairie. Maintenant tu pourras me lire la suite.

— Oh, merci!

— J'ai aussi un autre cadeau mais je doute qu'il te plaise autant.

Tout en parlant, il sortit une bague de son autre poche. L'anneau portait un grand diamant rond entouré de diamants plus petits. Il prit la main gauche de Calista et passa la bague à son annulaire, au-dessus de l'alliance qui l'encerclait déjà.

— Elle est ravissante... absolument ravissante, s'écria Calista qui ajouta anxieusement : ... elle a dû coûter très cher.

— Tu aurais pu avoir au moins trois chevaux à la place, dit-il pour la taquiner.

— Merci! Oh, merci! dit Calista en lui offrant ses lèvres.

Il l'étreignit presque avec rudesse. Son baiser fut passionné et l'ardeur qu'il traduisait alluma une flamme en Calista.

Elle se serra contre lui, avec l'impression que tout son corps était prêt à faire ce qu'il attendait d'elle. Elle ne comprenait pas très bien quoi, elle savait seulement qu'elle voulait être encore plus proche de lui.

Elle voulait qu'il continue à l'embrasser. Elle voulait que le feu de ses lèvres la consume jusqu'à ce que plus rien d'elle ne demeure et qu'elle ne soit plus qu'une part de lui-même.

Puis, aussi soudainement qu'il l'avait enlacée, il ouvrit les bras.

— Il ne faut pas trop te fatiguer, dit-il d'une voix mal assurée. Il faut que je te laisse dormir, Calista, pour que tu sois bien reposée demain quand tu feras ta première sortie.

Il s'était mis debout en parlant. Elle leva les yeux vers lui.

Ses lèvres très douces tremblaient un peu de la violence de ses baisers et dans ses yeux brillait une flamme nouvelle.

— Est-ce que... tu me quittes? demanda-t-elle d'une petite voix étouffée.

— Je veux que tu dormes.

— Mais je pensais...

Elle s'interrompit, hésitante.

Il se figea.

— Que pensais-tu? questionna-t-il au bout d'un instant.

— Que... maintenant que nous sommes mariés, tu resterais avec moi, murmura-t-elle.

Il ne répondit rien et elle ajouta hâtivement :

— ... mais seulement si tu le souhaites.

— Si je le souhaite!

C'était un cri montant du plus profond de son être. Il l'étreignit, ses bras si serrés autour d'elle qu'elle avait du mal à respirer.

— Je t'aime, je t'adore, je me prosterne devant toi! s'exclama-t-il avec ferveur, et tu me demandes si je veux rester! Oh, ma petite chérie! Mon amour, il n'y a pas de mots pour exprimer mon ardent, mon éperdu désir de toi!

Puis ses lèvres se posèrent sur les siennes, la retenant captive, captivée. Elle passa les bras autour de son cou et sentit son corps bouger sous le sien, leurs cœurs battre l'un contre l'autre.

Elle était sienne, irrévocablement sienne, et il était sien. Ils n'étaient plus insaisissables, ils n'étaient plus deux personnes distinctes mais une seule.

C'est ce dont elle avait rêvé, ce qu'elle avait espéré et qu'elle avait prié pour obtenir. Qui participait du divin et de toute la beauté du monde.

— Ma douce, ma chérie, mon adorable épouse, murmura-t-il d'une voix rauque.

Et Calista, sut que toute leur vie ils galoperaient ensemble dans la ligne droite, épaule contre épaule, vers le poteau d'arrivée de l'Amour!

RÉCITS VÉCUS et DOCUMENTS

AGOSTINI Giacomo
D. 98***   La fureur de vaincre

AUMONT Jean-Pierre
D. 97**** Le soleil et les ombres

BERNARD Jean Pr
D. 54**   Grandeur et tentations de
la médecine

BOURDON Sylvia
D. 88**   L'amour est une fête

CARS Jean des
D. 92*** Louis II de Bavière

CHANCEL Jacques
D. 58**   Radioscopie - 1

CHARON Jacques
récit de Fanny Deschamps
D. 86*** Moi, un comédien

CLAVEL Bernard
D. 100*   Lettre à un képi blanc

COQUET Evelyne
D. 94**** Le bonheur à cheval

FRISCH Karl von (Prix Nobel 1973)
D. 34**   Vie et mœurs des abeilles

GAULT et MILLAU
D. 101**   ...se mettent à table

GRAY Martin
D. 96**   Les forces de la vie

GREER Germaine
D. 8***   La femme eunuque

HUNZINGER Claudie
D. 68*   Bambois, la vie verte

LANCELOT Michel
D. 65**   Je veux regarder Dieu en
face

MONZON Carlos
D. 104*** Moi, Carlos Monzon

PELLAPRAT H. P.
D. 21*** La cuisine en 20 leçons

RIOU Roger
D. 76**** Adieu, la Tortue

ROUET Marcel
D. 84*   Virilité et puissance
sexuelle
D. 99**   Techniques de l'acte
sexuel

D. 102*** La magie de l'amour

SAN-ANTONIO
D. 93**   Je le jure

TOLEDANO Marc
D. 12**   Le franciscain de Bourges

TROYAT Henri
D. 103**   Un si long chemin

VALENSIN Georges Dr
D. 59*** Science de l'amour
D. 70*** La femme révélée
D. 77*** Adolescence et sexualité

ZWANG Dr Gérard
D. 89*** Le sexe de la femme

CONNAISSANCE

C/2 TOUTE L'HISTOIRE, par HART-MANN et HIMELFARB

En un seul volume double, de 320 pages :
Toutes les dates, de la Préhistoire à 1945;
Tous les événements politiques, militaires et culturels;
Tous les hommes ayant joué un rôle à quelque titre que ce soit.
Un système nouveau de séquences chronologiques permettant de saisir les grandes lignes de l'Histoire.

C/4 CENT PROBLEMES DE MOTS CROISES, par Paul ALEXANDRE

LE TALISMAN, de Marcel DASSAULT

ÉDITIONS J'AI LU

31, rue de Tournon, 75006-Paris

diffusion
France et étranger : Flammarion - Paris
Suisse : Office du Livre - Fribourg
Canada : Flammarion Ltée - Montréal

« Composition réalisée en ordinateur par IOTA »

IMPRIMÉ EN FRANCE PAR BRODARD ET TAUPIN
7, bd Romain-Rolland - Montrouge
. Usine de La Flèche, le 15-10-1979.
6633-5 - Dépôt légal 4e trimestre 1979.
I.S.B.N : 2 - 277 - 11993 - 8